A-Z PORT

CONTE

REFERENCE

Motorway	M27	Map Continuation 10 Large Scale Town Centre 4	
A Road	A27	Car Park Selected	P
B Road	B3333	Church or Chapel	†
		Fire Station	■
Dual Carriageway		Hospital	H
One-way Street — Traffic flow on A Roads is indicated by a heavy line on the driver's left.	→	House Numbers A & B Roads only	83 96
Large Scale Pages Only	⇒	Information Centre	i
Restricted Access		National Grid Reference	⁴70
Pedestrianized Road		Police Station	▲
Track		Post Office	★
Footpath		Toilet With facilities for the Disabled	▽ ♿
Residential Walkway		Viewpoint	☼
Railway	Level Crossing Station Tunnel	Educational Establishment	
		Hospital or Hospice	
		Industrial Building	
		Leisure or Recreational Facility	
Built-up Area	TALBOT RD.	Place of Interest	
		Public Building	
Local Authority Boundary	—·—·—	Shopping Centre or Market	
Postcode Boundary	—— —— ——	Other Selected Buildings	

SCALE

Map Pages 6-55 1:15,840 4 inches to 1 mile	Map Pages 4-5 1:7,920 8 inches to 1 mile
0 ¼ ½ Mile	0 ⅛ ¼ Mile
0 250 500 750 Metres	0 100 200 300 Metres
6.31 cm to 1 km 10.16 cm to 1 mile	12.63 cm to 1 km 20.32 cm to 1 mile

Geographers' A-Z Map Company Ltd.

Head Office:
Fairfield Road, Borough Green, Sevenoaks, Kent TN15 8PP
Telephone 01732 781000 (General Enquiries & Trade Sales)

Showrooms:
44 Gray's Inn Road, London WC1X 8HX
Telephone 020 7440 9500 (Retail Sales)
www.a-zmaps.co.uk

This map is based upon Ordnance Survey mapping with the permission of The Controller of Her Majesty's Stationery Office.

Edition 4 2001
Copyright © Geographers' A-Z Map Co. Ltd. 2001

2 **KEY TO MAP PAGES**

THE SOLENT

SPITHEAD

LARGE SCALE

4 **5**

CITY CENTRE

3

Inset
Page 7

Clanfield

A3

B2141

North
Marden

Chilgrove

Catherington

6 ①

7

HORNDEAN

Blendworth

West
Marden

B2146

enmead

Lovedean

FOREST
OF BERE

8

9

10

11

Cowplain

Rowland's
Castle

Walderton

B2147

Durrants

ATERLOOVILLE

③ A3(M)

Leigh Park

18

19

20

21

22

23

Funtington

B2146

B2778

rbrook

④

HAVANT

Westbourne

A27

Warblington

⑤

Bedhampton

Emsworth

Hambrook

30

31

32

33

34

35

A259

Bosham

Cosham

Farlington

Langstone

Hilsea

North
Hayling

42

43

Stoke

44

45

Thorney
Island

PORTSEA
ISLAND

Birdham

A286

tton
Milton

B2179

51

52

53

West
Town

54

55

South
Hayling

West
Wittering

B2198

Eastney

RTSMOUTH

HAYLING
ISLAND

Bracklesham

ENGLISH CHANNEL

SCALE		
0	1	2 Miles
0	1	2	3 Kilometres

Idsworth
House 73

Hook
Cottage
Nobles
Farm

Idsworth
Cottage

IDSWORTH PARK

Treadwheel
Farm

1

ROWLANDS CASTLE RD.

CASTLE ROAD

Eastlands

WOODHOUSE LANE

Idsworth
Lodge

Woodhouse

TREADWHEEL

ROAD

MAGPIE

LANE

2

Soakfield
Row

Pyle Farm

PYLE

B2149

BROAD

THE HOLT

Deadman's
Dell

Earthwork

Motleys
Copse

Holt Pond

Ring and
Bailey

12

WALK

Magpie
Cotts.

WOODHOUSE

3

Woodhouse
Ashes Farm

THE   HOLT

WALK

MAGPIE

BROAD

WALK

LANE

BOWES

Little
Woodhouse

Wellsworth
LA.

MEADOW

STEIN
WOOD

HOLT GDNS

4

Loscott's
Plain

GREATFIELD WAY

THE PEAK

11 HILL

HORSEFOOT HILL

Stein
Buildings

ROWLANDS CASTLE
GOLF COURSE

**ROWLANDS
CASTLE**

Recreation
Ground

Tennis
Cts.

Pav.

FAIRWAY

THE GREEN

5

LINKS

LINKS LANE

THE GREEN

Club Ho.

PO9

The Forest

Rowland's
Castle
(site of)
Motte and
Bailey

HAVANT   FOREST

The Avenue

LONG WOOD

MANOR

ROAD

KINGS CL.

ROYAL CL.

KING WAY

NIGHTINGALE CL.

Works

ROAD

COLLEGE CLOSE

THE
YARD

COLLEGE
CL.

HILL
BROW

6

DRIFT

Rowland's
Hill Farm

HAVANT
THICKET

Furzy
Plain

LODGE

B2149

BLACKBIRD
CL.

KINGFISHER
RD.

MALLARD
RD.

BRAMBLING
CL.

DUNNOCK
CL.

Red Hill

HAZELDEAN
CT.

HAZELDEAN
DR.

OAKLANDS

REDHILL

Lodge

Monument

Upper
Lake

Rectory

Mem.
Hall

Rowlands Castle
St. John's
C. of E. Prim. Sch.

110

Floating Lake
Stipway
Playing Field
Landing Stage

Wickor Point

Great Deep

1

SPINNAKER GRANGE

NORTHNEY LA.
Northney
Northney Farm

Radio Mast

CLOVELLY RD.

2

Thorne Prim

CHURCH LANE
Church Farm

03

NORTH HAYLING
Eastney Farm
Hall

P O 1 0

ST. PETER'S AV.

View

L I N G

G r o y n e s

3

A N D

GUTNER LANE
CHICHESTER ROAD
Slipway

ye
er Tye Farm

Slipway

ower Tye Farm
Gutner Farm

CHICHESTER HAVANT

4

WOODGASON LANE

LOWER TYE FARM
CARAVAN PARK
Meadow Farm Nursery

02

OODGASON LA.

Slipways

E m s w o r t h

5

C h a n n e l

6

Landing Stage

LL RYTHE
DAY VILLAGE

101

LEE-ON-THE-SOLENT

THE SOLENT

INDEX
Including Streets, Industrial Estates and Selected Subsidiary Addresses

HOW TO USE THIS INDEX

1. Each street name is followed by its Posttown or Postal Locality and then by its map reference; e.g. Abbeydore Rd. *Ports* —2G **29** is in the Portsmouth Postal Locality and is to be found in square 2G on page **29**. The page number being shown in bold type.
   A strict alphabetical order is followed in which Av., Rd., St., etc. (though abbreviated) are read in full and as part of the street name; e.g. Abbotstone Av. appears after Abbots Clo. but before Abbots Way.

2. Streets and a selection of Subsidiary names not shown on the Maps, appear in the index in *Italics* with the thoroughfare to which it is connected shown in brackets; e.g. *Addenbroke. Gos —3E* **49** *(off Willis Rd.)*

3. Map references shown in brackets; e.g. A'Becket Ct. *Ports* —3A **50** (5C **4**) refer to entries that also appear on the large scale pages 4 & 5.

GENERAL ABBREVIATIONS

All : Alley
App : Approach
Arc : Arcade
Av : Avenue
Bk : Back
Boulevd : Boulevard
Bri : Bridge
B'way : Broadway
Bldgs : Buildings
Bus : Business
Cvn : Caravan
Cen : Centre
Chu : Church
Chyd : Churchyard
Circ : Circle
Cir : Circus
Clo : Close
Comn : Common
Cotts : Cottages

Ct : Court
Cres : Crescent
Cft : Croft
Dri : Drive
E : East
Embkmt : Embankment
Est : Estate
Fld : Field
Gdns : Gardens
Gth : Garth
Ga : Gate
Gt : Great
Grn : Green
Gro : Grove
Ho : House
Ind : Industrial
Info : Information
Junct : Junction
La : Lane

Lit : Little
Lwr : Lower
Mc : Mac
Mnr : Manor
Mans : Mansions
Mkt : Market
Mdw : Meadow
M : Mews
Mt : Mount
Mus : Museum
N : North
Pal : Palace
Pde : Parade
Pk : Park
Pas : Passage
Pl : Place
Quad : Quadrant
Res : Residential
Ri : Rise

Rd : Road
Shop : Shopping
S : South
Sq : Square
Sta : Station
St : Street
Ter : Terrace
Trad : Trading
Up : Upper
Va : Vale
Vw : View
Vs : Villas
Vis : Visitors
Wlk : Walk
W : West
Yd : Yard

POSTTOWN AND POSTAL LOCALITY ABBREVIATIONS

Bed : Bedhampton
Cath : Catherington
Clan : Clanfield
Cosh : Cosham
Cowp : Cowplain
Den : Denmead
Dray : Drayton
Ems : Emsworth
Fare : Fareham
Farl : Farlington
Gos : Gosport

H'way : Hardway
Hav : Havant
Hay I : Hayling Island
Hils : Hilsea
Horn : Horndean
Ids : Idsworth
Know : Knowle
Lang : Langstone
Lee S : Lee-on-the-Solent
L Hth : Locks Heath
Love : Lovedean

Navy : H M Naval Base
N Boar : North Boarhunt
Portc : Portchester
Ports : Portsmouth
Port S : Port Solent
Prin : Prinsted
Pur : Purbrook
Row C : Rowland's Castle
S'brne : Southbourne
S'sea : Southsea
S'wick : Southwick

Stub : Stubbington
Thor I : Thorney Island
Titch : Titchfield
Wars : Warsash
Water : Waterlooville
Westb : Westbourne
White : Whiteley
Wick : Wickham
Wid : Widley
Wdcte : Woodmancote

INDEX

Abbas Grn. *Hav* —2D **20**
Abbeydore Rd. *Ports* —2G **29**
Abbeyfield Dri. *Fare* —1E **25**
Abbey Rd. *Fare* —1F **25**
Abbots Clo. *Water* —5E **19**
Abbotstone Av. *Hav* —5G **21**
Abbots Way. *Fare* —2F **25**
A'Becket Ct. *Ports*
　　　　　　—3A **50** (5C **4**)
Aberdare Av. *Ports* —2D **30**
Aberdeen Clo. *Fare* —6G **13**
Abingdon Clo. *Gos* —3D **48**
Acacia Gdns. *Water* —2B **10**
Acer Way. *Hav* —5H **21**
Ackworth Rd. *Ports* —6C **30**
Acorn Bus. Cen. *Ports* —4H **29**
Acorn Clo. *Gos* —4D **38**
Acorn Clo. *Ports* —3H **31**
Acorn Gdns. *Water* —1B **10**
Acre La. *Water* —6C **10**
Adair Rd. *S'sea* —5G **51**
Adames Rd. *Ports* —1E **51**

Addenbroke. Gos —3E **49**
(off Willis Rd.)
Adderbury Av. *Ems* —6D **22**
Addison Rd. *S'sea* —4E **51**
Adelaide Pl. *Fare* —2C **26**
Adhurst Rd. *Hav* —5G **21**
Admiral Pk. Ind. Est., The.
　　　　　　　Ports —2C **42**
Admiral's Corner. *S'sea*
　　　　　　　　　—5D **50**
Admirals Ct. *S'sea* —5C **50**
Admirals Wlk. *Gos* —4B **48**
Admiral's Wlk. *Ports*
　　　　　　　—1H **49** (1A **4**)
Admiralty Rd. *Gos* —5G **49**
Admiralty Rd. *Ports*
　　　　　　　—2A **50** (2B **4**)
Adsdean Clo. *Hav* —5E **21**
Adstone La. *Ports* —1E **43**
Adur Clo. *Gos* —6F **39**
Aerial Rd. *S'wick* —1F **29**
Aerodrome Rd. *Gos* —1D **38**

Agincourt Rd. *Ports* —6H **41**
Agnew Ho. *Gos* —1D **48**
Agnew Rd. *Ports* —2C **38**
Ainsdale Rd. *Ports* —2F **31**
Aintree Dri. *Water* —6B **10**
Airport Ind. Est. *Ports* —2D **42**
Airport Service Rd. *Ports*
　　　　　　　　—1C **42**
Airspeed Rd. *Ports* —3E **43**
Ajax Clo. *Fare* —4F **37**
Alameda Rd. *Water* —5F **19**
Alameda Way. *Water* —5F **19**
Alan Gro. *Fare* —1G **25**
Albany Cvn. Site. *Fare* —4F **37**
Albany Ct. *Gos* —3D **48**
Albany Rd. *S'sea* —4D **50**
Albatross Wlk. *Gos* —3B **38**
Albemarle Av. *Gos* —6H **39**
Albert Gro. *S'sea* —4D **50**
Albert Rd. *Cosh* —4B **30**
Albert Rd. *Fare* —3H **37**
Albert Rd. *S'sea* —4D **50**

Albert Rd. *Water* —2G **19**
Albert St. *Gos* —2E **49**
Albion Clo. *Fare* —5H **27**
Albion Rd. *Lee S* —5G **37**
Albretia Av. *Water* —4F **9**
Alchorne Pl. *Ports* —2D **42**
Alder La. *Gos* —2H **47**
Aldermoor Rd. *Gos* —6D **38**
Aldermoor Rd. *Water* —5F **19**
Aldermoor Rd. E. *Water*
　　　　　　　　—4F **19**
Aldershot Ho. *Hav* —4H **21**
Alders Rd. *Fare* —4B **26**
Alderwood Clo. *Hav* —6B **20**
Aldrich Rd. *Navy* —1A **50**
Aldridge Clo. *Water* —2G **7**
Aldroke St. *Ports* —4B **30**
Aldsworth Clo. *Ports* —3E **31**
Aldsworth Gdns. *Ports* —3E **31**
Aldsworth Path. *Ports* —3E **31**
Aldwell St. *S'sea*
　　　　　　　—3D **50** (4H **5**)

Battery Promenade—Brambles Farm Ind. Est.

Battery Promenade. *Ports* —4H **49** (6A **4**)
Battery Row. *Ports* —4A **50** (6B **4**)
Baybridge Rd. *Hav* —4H **21**
Bayfields. *S'sea* —5C **50** (off Shaftesbury Rd.)
Bayly Av. *Fare* —5B **28**
Bay Rd. *Gos* —4B **48**
Bayswater Ho. *S'sea* —4D **50**
Baythorn Clo. *Ports* —6H **41**
Bay Tree Lodge. *Fare* —3F **37**
Bayview Ct. *Hay I* —5H **53**
Beach Dri. *Ports* —3D **28**
Beach Rd. *Ems* —3C **34**
Beach Rd. *Hay I* —5A **54** (in two parts)
Beach Rd. *Lee S* —2C **46**
Beach Rd. *S'sea* —6D **50**
Beachway. *Fare* —5B **28**
Beaconsfield Av. *Ports* —4C **30**
Beaconsfield Rd. *Fare* —3B **26**
Beaconsfield Rd. *Water* —1G **19**
Beacon Sq. *Ems* —3C **34**
Beamond Ct. *Ports* —4C **30**
Beatrice Rd. *S'sea* —5E **51**
Beatty Dri. *Gos* —5B **48**
Beatty Ho. *Ports* —1H **5**
Beauchamp Av. *Gos* —3C **38**
Beaufort Av. *Fare* —6H **13**
Beaufort Rd. *Hav* —1D **32**
Beaufort Rd. *S'sea* —6D **50**
Beaulieu Av. *Fare* —3G **27**
Beaulieu Av. *Hav* —3D **20**
Beaulieu Pl. *Gos* —3C **38**
Beaulieu Rd. *Ports* —4A **42**
Beaumont Clo. *Fare* —6F **13**
Beaumont Ct. *Gos* —5G **39**
Beaumont Ri. *Fare* —5F **13**
Beck St. *Ports* —2B **50** (2D **4**)
Bedenham La. *Gos* —2D **38** (in three parts)
Bedford Clo. *Hav* —3H **33**
Bedford St. *Gos* —1C **48**
Bedford St. *S'sea* —3C **50** (4F **5**)
Bedhampton Hill. *Hav* —2A **32** (in two parts)
Bedhampton Hill Rd. *Hav* —2B **32**
Bedhampton Ho. *Ports* —1H **5**
Bedhampton Rd. *Hav* —1C **32**
Bedhampton Rd. *Ports* —5B **42**
Bedhampton Way. *Hav* —5F **21**
Beecham Rd. *Ports* —6A **42**
Beech Clo. *Water* —5H **9**
Beechcroft Clo. *Fare* —2D **24**
Beechcroft Rd. *Gos* —4C **48**
Beech Gro. *Gos* —4C **48**
Beech Gro. *Hay I* —3D **54**
Beech Rd. *Fare* —1G **25**
Beech Rd. *Water* —2G **7**
Beech Way. *Water* —2B **10**
Beechwood Av. *Water* —3G **19**
Beechwood Lodge. *Fare* —1B **26**
Beechwood Rd. *Ports* —1A **42**
Beechworth Rd. *Hav* —2F **33**
Beehive Wlk. *Ports* —3A **50** (5C **4**)
Beeston Ct. *Ports* —6A **42**
Behrendt Clo. *Gos* —1C **48**
Belgravia Rd. *Ports* —4B **42**
Bellair Ho. *Hav* —2G **33**
Bellair Rd. *Hav* —2G **33**
Bell Cres. *Water* —3G **19**
Bell Davies Rd. *Fare* —4D **36**
Bellevue La. *Ems* —1D **34**

Bellevue Ter. *S'sea* —4B **50**
Bellfield. *Fare* —4B **24**
Bellflower Way. *Fare* —6B **12**
Bell Rd. *Ports* —3H **29**
Bells La. *Fare* —3E **37**
Belmont Clo. *Fare* —2F **37**
Belmont Clo. *Water* —2C **6**
Belmont Gro. *Hav* —1C **32**
Belmont Pl. *S'sea* —4C **50** (6G **5**)
Belmont St. *S'sea* —4C **50** (6G **5**)
Belmore Clo. *Ports* —6A **42**
Belney La. *S'wick* —2H **17**
Belvoir Clo. *Fare* —2A **26**
Bembridge Ct. *Hay I* —6E **55**
Bembridge Cres. *S'sea* —6E **51**
Bembridge Dri. *Hay I* —6E **55**
Bembridge Lodge. *Lee S* —2C **46**
Bemister's La. *Gos* —3G **49**
Benbow Clo. *Water* —6C **6**
Benbow Ho. *Ports* —2B **4**
Benbow Pl. *Ports* —2A **50** (2B **4**)
Benedict Way. *Fare* —2C **28**
Beneficial St. *Ports* —2A **50** (2B **4**)
Benham Dri. *Ports* —1B **42**
Benham Gro. *Fare* —5B **28**
Bentham Rd. *Gos* —4D **48**
Bentley Clo. *Water* —5C **6**
Bentley Ct. *Hav* —4H **21**
Bentley Cres. *Fare* —1H **25**
Bentworth Clo. *Hav* —5D **20**
Bere Farm La. *N Boar* —2F **15**
Bere Rd. *Water* —3B **8**
Beresford Clo. *Water* —3G **19**
Beresford Rd. *Fare* —2F **37**
Beresford Rd. *Ports* —4A **42**
Berkeley Clo. *Fare* —2B **50**
Berkeley Ct. *Lee S* —2D **46**
Berkeley Sq. *Hav* —2H **33**
Berkshire Clo. *Ports* —2D **50**
Bernard Av. *Ports* —3C **30**
Bernard Powell Ho. *Hav* —2G **33**
Berney Rd. *S'sea* —3A **52**
Bernina Av. *Water* —5E **9**
Bernina Clo. *Water* —5E **9**
Berrydown Rd. *Hav* —2C **20**
Berry La. *Fare* —3C **36**
Berry Mdw. Cotts. *S'wick* —3C **16**
Bertie Rd. *S'sea* —3H **51**
Berwyn Wlk. *Fare* —3G **25**
Beryl Av. *Gos* —5F **39**
Beryton Clo. *Gos* —1C **48**
Beryton Rd. *Gos* —1C **48**
Bettesworth Rd. *Ports* —6A **42**
Betula Clo. *Water* —3A **20**
Bevan Rd. *Water* —2H **9**
Beverley Gro. *Ports* —2H **31**
Beverley Rd. *Fare* —4E **37**
Beverly Clo. *Gos* —3D **38**
Beverston Rd. *Ports* —2E **29**
Bevis Rd. *Gos* —2D **48**
Bevis Rd. *Ports* —4H **41**
Bevis Rd. N. *Ports* —4H **41**
Bickton Wlk. *Hav* —3D **20**
Bidbury La. *Hav* —2C **32**
Biddlecombe Clo. *Gos* —5C **38**
Biggin Wlk. *Fare* —3G **25**
Billett Av. *Water* —6H **9**
Billing Clo. *S'sea* —4H **51**
Bill Stillwell Ct. *Ports* —3G **41**
Billy Lawn Av. *Hav* —4F **21**
Bilton Bus. Pk. *Ports* —2E **43**
Bilton Cen., The. *Ports* —3G **29**

Bilton Way. *Ports* —3E **43**
Binnacle Way. *Ports* —3F **29**
Binness Path. *Ports* —4G **31**
Binness Way. *Ports* —4G **31**
Binsteed Rd. *Ports* —5A **42**
Birch Clo. *Water* —4G **9**
Birch Dri. *Gos* —1C **38**
Birchmore Clo. *Gos* —3C **38**
Birch Tree Clo. *Ems* —5D **22**
Birch Tree Dri. *Ems* —5D **22**
Birchwood Lodge. *Fare* (off Northwood Sq.) —1B **26**
Birdham Rd. *Hay I* —5G **55**
Birdlip Clo. *Water* —1A **10**
Birdlip Rd. *Ports* —2F **29**
Birdwood Gro. *Fare* —3F **27**
Birkdale Av. *Ports* —2E **31**
Birmingham Ct. *Gos* —2H **47**
Biscay Clo. *Fare* —2D **36**
Bishopsfield Rd. *Fare* —4G **25**
Bishopstoke Rd. *Hav* —4E **21**
Bishop St. *Ports* —2A **50** (2C **4**)
Bittern Clo. *Gos* —6H **39**
Bitterne Clo. *Hav* —3F **21**
Blackberry Clo. *Water* —1D **6**
Blackbird Clo. *Water* —3H **9**
Blackbird Way. *Lee S* —6H **37**
Blackfriars Clo. *S'sea* —3D **50** (4H **5**)
Blackfriars Rd. *S'sea* —2D **50** (3H **5**)
Blackhouse La. *N Boar* —1G **15**
Blackmoor Wlk. *Hav* —4H **21**
Blackthorn Dri. *Gos* —4G **39**
Blackthorn Dri. *Hay I* —4E **55**
Blackthorn Rd. *Hay I* —4E **55**
Blackthorn Rd. *Water* —3C **6**
Blackthorn Ter. *Ports* —1B **50** (1C **4**)
Blackthorn Wlk. *Water* —6B **10** (off Barn Fold)
Blackwater Clo. *Ports* —3H **29**
Blackwood Ho. *Ports* —6H **41**
Bladon Clo. *Hav* —6A **22**
Blair Atholl Ri. *Fare* —1H **25**
Blake Ct. *Gos* —3G **49**
Blakemere Cres. *Ports* —2G **29**
Blake Rd. *Gos* —2E **49**
Blake Rd. *Ports* —2F **31**
Blakesley La. *Ports* —1E **43**
Blankney Clo. *Fare* —3D **36**
Blaven Wlk. *Fare* —3G **25**
Blendworth Cres. *Hav* —6E **21**
Blendworth Ho. *Ports* —1H **5**
Blendworth La. *Horn* —6D **6**
Blendworth Rd. *S'sea* —2H **51**
Blenheim Ct. *S'sea* —4G **51**
Blenheim Gdns. *Gos* —5H **39**
Blenheim Gdns. *Hav* —1H **33**
Blenheim Rd. *Water* —2A **10**
Bleriot Cres. *White* —4A **12**
Bliss Clo. *Water* —4G **19**
Blissford Clo. *Hav* —4H **21**
Blossom Sq. *Ports* —1A **50** (1C **4**)
Blount Rd. *Ports* —4B **50** (6D **4**)
Bluebell Clo. *Water* —3H **19**

Blueprint Portfield Rd. *Ports* —3C **42**
Boardwalk Shop. Cen., The. *Port S* —5E **29**
Boardwalk, The. *Port S* —4F **29**
Boarhunt Clo. *Ports* —2D **50** (2H **5**)
Boarhunt Rd. *Fare* —6E **15**
Boatyard Ind. Est., The. *Fare* —3B **26**
Bodmin Rd. *Ports* —3E **29**
Boiler Rd. *Ports* —6D **40**
Bolde Clo. *Ports* —2D **42**
Boldens Rd. *Gos* —6D **48**
Boldre Clo. *Hav* —5C **20**
Boltons, The. *Water* —6G **19**
Bonchurch Rd. *S'sea* —2G **51**
Bondfields Cres. *Hav* —3E **21**
Bonfire Corner. *Ports* —1A **50** (1B **4**)
Bordon Rd. *Hav* —4F **21**
Bosham Rd. *Ports* —5B **42**
Bosham Wlk. *Gos* —3B **38**
Bosmere Gdns. *Ems* —2C **34**
Bosmere Rd. *Hay I* —5G **55**
Boston Rd. *Ports* —2A **30**
Bosuns Clo. *Fare* —5B **26**
Botley Dri. *Hav* —3D **20**
Boughton Ct. *Ports* —1E **43**
Boulter La. *S'wick* —2E **17**
Boulton Rd. *S'sea* —4E **51**
Boundary Way. *Hav* —2E **33**
Boundary Way. *Ports* —1D **30**
Bound La. *Hay I* —5C **54**
Bourne Clo. *Water* —1B **10**
Bournemouth Av. *Gos* —6G **39**
Bournemouth Ho. *Hav* —4G **21**
Bourne Rd. *Ports* —3F **29**
Bourne Vw. Clo. *Ems* —1H **35**
Bowers Clo. *Water* —3A **10**
Bowes Hill. *Row C* —4H **11**
Bowes Lyon Ct. *Water* —6B **6**
Bowler Av. *Ports* —1F **51**
Bowler Ct. *Ports* —1F **51**
Boxgrove Ho. *Ports* —1D **50**
Boxwood Clo. *Fare* —2H **27**
Boxwood Clo. *Water* —3G **19**
Boyd Clo. *Fare* —4D **36**
Boyd Rd. *Gos* —2B **38**
Boyle Cres. *Water* —4F **19**
Brabazon Rd. *Fare* —4A **12**
Bracken Heath. *Water* —6B **10**
Bracklesham Rd. *Gos* —5D **38**
Bracklesham Rd. *Hay I* —6H **55**
Bradford Ct. *Gos* —1G **47**
Bradford Junct. *S'sea* —3E **51**
Bradford Rd. *S'sea* —3D **50**
Brading Av. *Gos* —3C **38**
Brading Av. *S'sea* —5G **51**
Bradley Ct. *Hav* —3H **21**
Bradly Rd. *Fare* —1E **25**
Braemar Av. *Ports* —4D **30**
Braemar Clo. *Fare* —6G **13**
Braemar Clo. *Gos* —3D **38**
Braemar Rd. *Gos* —2D **38**
Braintree Rd. *Ports* —2H **29**
Braishfield Rd. *Hav* —5G **21**
Bramber Rd. *Gos* —6G **39**
Bramble Clo. *Fare* —4C **36**
Bramble Clo. *Hav* —6A **22**
Bramble La. *Water* —1F **7**
Bramble Rd. *S'sea* —3E **51**
Brambles Bus. Cen., The. *Water* —6E **9**
Brambles Enterprise Cen., The. *Water* —6E **9**
Brambles Farm Ind. Est. *Water* —1F **19**

Brambles Rd. *Lee S* —6F **37**
Bramble Way. *Gos* —3A **38**
Brambling Rd. *Row C* —6H **11**
Bramdean Dri. *Hav* —4D **20**
Bramham Moor. *Fare* —3D **36**
Bramley Clo. *Water* —1H **19**
Bramley Gdns. *Ems* —3F **35**
Bramley Gdns. *Gos* —6C **48**
Bramley Ho. *S'sea*
—3C **50** (5G **5**)
Brampton La. *Ports* —1E **43**
Bramshaw St. *Hav* —4H **21**
Bramshott Rd. *S'sea* —3F **51**
Brandon Ct. *S'sea* —4E **51**
Brandon Ho. *S'sea* —5E **51**
Brandon Rd. *S'sea* —5D **50**
Bransbury Rd. *S'sea* —4H **51**
Bransgore Av. *Hav* —5C **20**
Brasted Ct. *S'sea* —2A **52**
Braunstone Clo. *Ports* —2E **29**
Braxell Lawn. *Hav* —3D **20**
Breach Av. *Ems* —1H **35**
Brecon Av. *Ports* —2D **30**
Brecon Clo. *Fare* —3G **25**
Bredenbury Cres. *Ports*
—2G **29**
Bredon Wlk. *Fare* —3G **25**
Breech Clo. *Ports* —1B **42**
Brenchley Clo. *Fare* —4H **27**
Brendon Rd. *Fare* —3F **25**
Brent Ct. *Ems* —3C **34**
Bresler Ho. *ports* —2F **29**
Brewers La. *Gos* —3C **38**
Brewer St. *Ports*
—1C **50** (1G **5**)
Brewhouse Sq. *Gos* —1F **49**
Brewster Clo. *Water* —4A **10**
Briar Clo. *Gos* —4A **48**
Briar Clo. *Water* —2B **10**
Briarfield Gdns. *Water* —1B **10**
Briars, The. *Water* —1E **19**
Briarwood Clo. *Fare* —3B **26**
Briarwood Gdns. *Hay I*
—4B **54**
Bridefield Clo. *Water* —4F **9**
Bridefield Cres. *Water* —4F **9**
Bridgefoot Dri. *Fare* —2C **26**
Bridgefoot Hill. *Fare* —2D **26**
Bridgefoot Path. *Ems* —3D **34**
Bridge Ho. *Gos* —1C **38**
Bridge Industries. *Fare* —6C **14**
Bridgemary Av. *Gos* —2D **38**
Bridgemary Gro. *Gos* —6C **26**
Bridgemary Rd. *Gos* —6C **26**
Bridgemary Way. *Gos* —6C **26**
Bridge Rd. *Ems* —2D **34**
Bridges Av. *Ports* —2D **28**
Bridge Shop. Cen., The. *Ports*
—2E **51**
Bridgeside Clo. *Ports* —2D **50**
Bridge St. *S'wick* —3B **16**
Bridge St. *Titch* —3C **24**
Bridge St. *Wick* —1A **14**
Bridget Clo. *Water* —6C **6**
Bridle Path. *Water* —5B **6**
Bridport St. *Ports*
—2C **50** (2G **5**)
Brigham Clo. *Ports* —2A **42**
Brighstone Rd. *Ports* —4A **30**
Brighton Av. *Gos* —5F **39**
Brightside. *Water* —3F **19**
Brights La. *Hay I* —2B **54**
Brisbane Ho. *Ports* —6H **41**
Bristol Ct. *Gos* —2G **47**
Bristol Rd. *S'sea* —5F **51**
Britain St. *Ports*
—2A **50** (3C **4**)
Britannia Rd. *S'sea* —3D **50**
Britannia Rd. N. *S'sea* —3D **50**

Britannia Way. *Gos* —6A **40**
Britten Rd. *Lee S* —1C **46**
Britten Way. *Water* —5G **19**
Brixworth Clo. *Ports* —2E **29**
Broadcut. *Fare* —1C **26**
Broad Gdns. *Ports* —3G **31**
Broadlands Av. *Water* —3G **19**
Broadlaw Wlk. Shop. Precinct.
Fare —4G **25**
Broadmeadows La. *Water*
—2A **20**
Broadmere Av. *Hav* —4F **21**
Broad Oak Works. *Ports*
—1D **42**
Broadsands Dri. *Gos* —4H **47**
Broadsands Wlk. *Gos* —4A **48**
Broad St. *Ports*
—3H **49** (5A **4**)
Broad Wlk. *Ids* —2E **11**
Broadway La. *Love* —1F **9**
Brockenhurst Av. *Hav* —3D **20**
Brockhampton La. *Hav* —2E **33**
Brockhampton Rd. *Hav*
(in two parts) —3D **32**
Brockhurst Ind. Est. *Gos*
—4F **39**
Brockhurst Rd. *Gos* —5F **39**
Brocklands. *Hav* —2D **32**
Brodrick Av. *Gos* —4C **48**
Brompton Pas. *Ports* —6H **41**
Brompton Rd. *S'sea* —5F **51**
Bromyard Cres. *Ports* —2G **29**
Brookdale Clo. *Water* —1H **19**
Brookers La. *Gos* —2A **38**
(in two parts)
Brook Farm Av. *Fare* —2H **25**
Brookfield Clo. *Hav* —1E **33**
Brookfield Rd. *Ports* —1E **51**
Brook Gdns. *Ems* —3B **34**
Brooklands Rd. *Hav* —1B **32**
Brooklyn Dri. *Water* —1H **19**
Brookmeadow. *Fare* —2H **25**
Brookmead Way. *Hav* —3F **33**
Brookside. *Gos* —6B **26**
Brookside Clo. *Water* —3B **8**
Brookside Rd. *Hav* —3D **32**
(Harts Farm Way)
Brookside Rd. *Hav* —1C **32**
(Mayland Rd.)
Broom Clo. *S'sea* —2B **52**
Broom Clo. *Water* —4A **20**
Broomfield Cres. *Gos* —6B **38**
Broom Sq. *S'sea* —2B **52**
Broom Way. *Lee S* —6H **37**
Brougham La. *Gos* —1C **48**
Brougham Rd. *S'sea*
—3C **50** (5F **5**)
Brougham St. *Gos* —1C **48**
Browndown Rd. *Lee S* —4G **47**
Browning Av. *Ports* —2C **28**
Brownlow Clo. *Ports* —6H **41**
Browns La. *Ports* —1D **42**
Brow Path. *Water* —1E **31**
Brow, The. *Gos* —3G **49**
Brow, The. *Water* —1D **30**
Broxhead Rd. *Hav* —3G **21**
Bruce Clo. *Fare* —6A **14**
Bruce Rd. *S'sea* —5F **51**
Brune La. *Lee S & Gos* —4A **38**
(in two parts)
Brunel Rd. *Ports* —2A **42**
Brunel Way. *Fare* —4A **12**
Brunswick Gdns. *Hav* —1D **32**
Brunswick St. *S'sea*
—3C **50** (5F **5**)
Bryher Bri. *Port S* —4F **29**
Bryher Island. *Port S* —4E **29**
Bryony Way. *Water* —2A **20**
Bryson Rd. *Ports* —3H **29**

Buckby La. *Ports* —1E **43**
Buckingham Building. *Ports*
—2B **50** (2D **4**)
Buckingham Ct. *Fare* —6F **13**
Buckingham Grn. *Ports*
—6A **42**
Buckingham St. *Ports*
—1C **50** (1G **5**)
Buckland Clo. *Water* —4F **9**
Buckland Path. *Ports* —6H **41**
Buckland St. *Ports* —6A **42**
(in two parts)
Bucklers Ct. *Hav* —2D **20**
Bucklers Ct. *Ports* —4H **41**
Bucklers Rd. *Gos* —5A **40**
Bucksey Rd. *Gos* —5C **38**
Buddens Rd. *Wick* —1A **14**
Bude Clo. *Ports* —2D **28**
Bulbarrow Wlk. *Fare* —3G **25**
Bulbeck Rd. *Hav* —2F **33**
Bulls Copse La. *Water* —1A **10**
Bunkers Hill. *Water* —4A **8**
Bunting Gdns. *Water* —3H **9**
Burbidge Gro. *S'sea* —5G **51**
Burcote Dri. *Ports* —1D **42**
Burdale Dri. *Hay I* —4F **55**
Burgate Clo. *Hav* —6D **20**
Burgess Clo. *Hay I* —6F **55**
Burghclere Rd. *Hav* —3H **21**
Burgoyne Rd. *S'sea* —6D **50**
Burgundy Ter. *Ports* —2A **42**
Buriton Clo. *Fare* —2B **28**
Buriton Ho. *Ports*
—2D **50** (2H **5**)
(off Buriton St.)
Buriton St. *Ports*
—1D **50** (1H **5**)
Burleigh Rd. *Ports* —6B **42**
Burley Clo. *Hav* —3H **21**
Burlington Rd. *Ports* —4A **42**
Burnaby Building. *Ports*
—2B **50** (3D **4**)
Burnaby Rd. *Ports*
—2B **50** (3D **4**)
Burnett Rd. *Gos* —1B **48**
Burney Ho. *Gos* —3F **49**
(off South St.)
Burney Rd. *Gos* —4A **48**
Burnham Rd. *Ports* —2F **31**
Burnham's Wlk. *Gos* —3F **49**
Burnham Wood. *Fare* —6A **14**
Burnside. *Gos* —6B **26**
Burnside. *Water* —6A **10**
Burnt Ho. La. *Fare* —6F **25**
Burrell Ho. *S'sea* —4B **50**
(off Hambrook St.)
Burrfields Retail Pk. *Ports*
—4D **42**
Burrfields Rd. *Ports* —4C **42**
Burrill Av. *Ports* —3C **30**
Burrows Clo. *Hav* —6G **21**
Bursledon Pl. *Water* —4F **19**
Bursledon Rd. *Water* —4F **19**
Burwood Gro. *Hay I* —2C **54**
Bury Clo. *Gos* —3D **48**
Bury Cres. *Gos* —3D **48**
Bury Cross. *Gos* —3C **48**
Bury Hall La. *Gos* —4B **48**
Bury Rd. *Gos* —3C **48**
Bush Ho. *S'sea* —4C **50** (6F **5**)
Bush St. E. *S'sea*
—4C **50** (6F **5**)
Bush St. W. *S'sea*
—4C **50** (6F **5**)
Bushy Mead. *Water* —6E **19**
Butcher St. *Ports*
—2A **50** (3B **4**)
Butser Ct. *Water* —2D **6**

Butser Wlk. *Fare* —3G **25**
Butterfly Dri. *Ports* —2E **29**
Byerley Clo. *Westb* —4F **23**
Byerley Rd. *Ports* —2F **51**
(in two parts)
Byngs Bus. Pk. *Water* —4D **8**
Byrd Clo. *Water* —4G **19**
Byres, The. *Fare* —2E **37**
Byron Clo. *Fare* —1A **26**
Byron Rd. *Ports* —5B **42**

Cadgwith Pl. *Port S* —4F **29**
Cadnam Ct. *Gos* —4H **47**
Cadnam Lawn. *Hav* —2D **20**
Cadnam Rd. *S'sea* —4H **51**
Cador Dri. *Fare* —5H **27**
Caen Ho. *Fare* —3G **25**
Cains Clo. *Fare* —2E **37**
Cairo Ter. *Ports* —6H **41**
Caldecote Wlk. *S'sea*
—3C **50** (4E **5**)
Calder Ho. *Ports* —2B **4**
Calshot Rd. *Hav* —2C **20**
Calshot Way. *Gos* —4B **38**
Camber Pl. *Ports*
—4A **50** (6B **4**)
Cambrian Ter. *S'sea* —6H **5**
Cambrian Wlk. *Fare* —4H **25**
Cambridge Building. *Ports*
—3B **50** (4D **4**)
Cambridge Ho. *Ports*
—3B **50** (5D **4**)
Cambridge Junct. *Ports*
—3B **50** (5D **4**)
Cambridge Rd. *Gos* —1A **48**
Cambridge Rd. *Lee S* —2D **46**
Cambridge Rd. *Ports*
—3B **50** (5D **4**)
Camcross Clo. *Ports* —2F **29**
Camden St. *Gos* —1C **48**
Camelia Clo. *Hav* —6A **22**
Camelot Cres. *Fare* —2H **27**
Cameron Clo. *Gos* —2C **38**
Campbell Cres. *Water* —4E **19**
Campbell Mans. *S'sea* —4E **51**
Campbell Rd. *S'sea* —3D **50**
Campion Clo. *Water* —3A **20**
Camp Rd. *Gos* —2D **38**
Cams Bay Clo. *Fare* —2F **27**
Cams Hill. *Fare* —2D **26**
(in two parts)
Canal Wlk. *Ports*
—2D **50** (3H **5**)
Canberra Clo. *Gos* —3B **48**
Canberra Ct. *Gos* —3B **48**
Canberra Ho. *Ports*
—2C **50** (2G **5**)
Cannock Wlk. *Fare* —4G **25**
Canons Barn Clo. *Fare* —2A **28**
Canterbury Clo. *Lee S* —3F **47**
Canterbury Rd. *Fare* —2E **37**
Canterbury Rd. *S'sea* —4F **51**
Capel Ley. *Water* —5G **19**
Captains Row. *Ports*
—4A **50** (6B **4**)
Caravan Pk. *Hay I* —5C **44**
Caraway. *White* —2A **12**
Carberry Dri. *Fare* —4H **27**
Carbis Clo. *Port S* —4F **29**
Cardiff Rd. *Ports* —3H **41**
Cardinal Dri. *Water* —6B **10**
Carisbrooke Av. *Fare* —2E **37**
Carisbrooke Clo. *Hav* —1H **33**
Carisbrooke Rd. *Gos* —2B **38**
Carisbrooke Rd. *S'sea* —3G **51**
Carless Clo. *Gos* —6D **38**
Carlisle Rd. *S'sea* —2D **50**

Carlton Rd. *Fare* —2B **28**
Carlton Rd. *Gos* —2E **49**
Carlton Way. *Gos* —2E **49**
Carlyle Rd. *Gos* —2D **48**
Carmarthen Av. *Ports* —2D **30**
Carmine Ct. *Gos* —1G **47**
Carnarvon Rd. *Gos* —3C **48**
Carnarvon Rd. *Ports* —5B **42**
Carne Pl. *Port S* —4E **29**
Caroline Gdns. *Fare* —1E **25**
Caroline Ho. *Ports* —1C **4**
Caroline Pl. *Gos* —1D **48**
Carpenter Clo. *S'sea* —4G **51**
Carran Wlk. *Fare* —4G **25**
Carronade Wlk. *Ports* —6B **30**
Carshalton Av. *Ports* —3D **30**
Carter Ho. Gos —6B **26**
 (off Woodside)
Carter Ho. *Ports*
 —2A **50** (2C **4**)
Cartwright Dri. *Fare* —1A **24**
Cascades App. *Ports*
 —1C **50** (1F **5**)
Cascades Shop. Cen. *Ports*
 —1C **50** (1F **5**)
Cask St. Ports —1C **50**
 (off Landport Vw.)
Caspar John Clo. *Fare* —4D **36**
Castle Av. *Hav* —2H **33**
Castle Clo. *S'sea*
 —4C **50** (6F **5**)
Castle Esplanade. *S'sea*
 —6C **50**
Castle Gro. *Fare* —4B **28**
Castlemans La. *Hay I* —4C **44**
Castle Marina. *Lee S* —4B **55**
Castle Rd. *Row C* —5G **11**
Castle Rd. *S'sea*
 —4B **50** (6F **5**)
Castle Rd. *S'wick* —3D **16**
Castle St. *Portc* —3B **28**
Castle St. *Titch* —3C **24**
Castleton Ct. S'sea —4B **50**
 (off Southsea Ter.)
Castle Trad. Est. *Fare* —3C **28**
Castle Vw. *Gos* —5H **39**
Castle Vw. Rd. *Fare* —5B **28**
Castleway. *Hav* —2H **33**
Cathedral Ho. *Ports* —6B **4**
Catherington Hill. *Cath* —2B **6**
Catherington La. *Water* —5A **6**
Catherington Way. *Hav* —5F **21**
Catisfield Ho. *Ports* —1H **5**
Catisfield La. *Fare* —2D **24**
Catisfield Rd. *Fare* —2E **25**
Catisfield Rd. *S'sea* —2H **51**
Causeway Farm. *Water*
 —1B **10**
Causeway, The. *Fare* —2E **27**
Cavanna Clo. *Gos* —2B **38**
Cavell Dri. *Ports* —2A **30**
Cavendish Clo. *Water* —1H **19**
Cavendish Dri. *Water* —2H **19**
Cavendish Rd. *S'sea* —4D **50**
Cawte's Pl. *Fare* —2C **26**
Cecil Gro. *S'sea* —4B **50**
Cecil Pl. *S'sea* —4B **50**
Cedar Clo. *Gos* —4G **39**
Cedar Clo. *Water* —3G **19**
Cedar Ct. *Fare* —2C **26**
Cedar Ct. *S'sea* —4D **50**
Cedar Cres. *Horn* —2C **10**
Cedar Gdns. *Hav* —1G **33**
Cedar Gro. *Ports* —6D **42**
Cedars, The. *Fare* —5H **13**
Cedar Way. *Fare* —3G **25**
Cedarwood Lodge. Fare
 (off Northwood Sq.) —1B **26**
Celandine Av. *Water* —4B **10**

Celia Clo. *Water* —1B **20**
Cemetery La. *Ems* —5G **23**
Cemetery La. *Water* —2B **8**
Centaur St. *Ports* —5H **41**
Central Rd. *Fare* —4H **27**
Central Rd. *Ports* —4E **31**
Central St. *Ports*
 —1D **50** (1H **5**)
Cessac Ho. *Gos* —6E **49**
Chadderton Gdns. *Ports*
 —4B **50** (6D **4**)
Chaffinch Grn. *Water* —3G **9**
Chaffinch Way. *Fare* —3F **27**
Chaffinch Way. *Lee S* —6H **37**
Chale Clo. *Gos* —3C **38**
Chalk Hill Rd. *Water* —5C **6**
Chalk La. *Fare* —2D **24**
Chalk Pit Rd. *Ports* —2F **29**
Chalk Ridge. *Cath* —2D **6**
Chalkridge Rd. *Ports* —2C **30**
Chalky Wlk. *Fare* —4H **27**
Challenge Enterprise Cen., The.
 Ports —2D **42**
Challenger Dri. *Gos* —6A **40**
Chalton Cres. *Hav* —4D **20**
Chalton La. *Water* —1F **7**
 (in two parts)
Chamberlain Gro. *Fare* —3A **26**
Chanctonbury Ho. *S'sea*
 —4C **50** (6G **5**)
Chandlers Clo. *Hay I* —5E **55**
Chantrell Wlk. *Fare* —6F **13**
Chantry Rd. *Gos* —6F **39**
Chantry Rd. *Water* —5B **6**
Chapel La. *Water* —2G **19**
Chapelside. *Fare* —3C **24**
Chapel Sq. *Gos* —6F **39**
Chapel St. *Gos* —5H **39**
Chapel St. *Ports* —5A **42**
Chapel St. *S'sea*
 —4C **50** (6E **5**)
Chaplains Av. *Water* —4F **9**
Chaplains Clo. *Water* —4F **9**
Charden Rd. *Gos* —5D **38**
Charfield Clo. *Fare* —2F **25**
Chark La. *Lee S* —5H **37**
Charlcott Lawn. *Hav* —3D **20**
Charlemont Dri. *Fare* —2D **26**
Charlesbury Av. *Gos* —3B **48**
Charles Clark Ho. *S'sea*
 —3G **51**
Charles Clo. *Water* —3F **19**
Charles Dickens St. *Ports*
 —2C **50** (3F **5**)
Charles Norton-Thomas Ct.
 Ports —2B **50** (3C **4**)
 (off St George's Way)
Charles St. *Ports*
 —1D **50** (1H **5**)
Charleston Clo. *Hay I* —3A **54**
Charlesworth Dri. *Water* —5F **9**
Charlesworth Gdns. *Water*
 —6F **9**
Charlotte Ct. *S'sea* —4C **50**
Charlotte M. *Gos* —5C **48**
Charlotte St. *Ports*
 —1C **50** (1F **5**)
Charlton Ho. *Ports*
 —1C **50** (1G **5**)
Charminster. S'sea —5E **51**
 (off Craneswater Pk.)
Charminster Clo. *Water*
 —1G **19**
Charnwood. *Gos* —3D **38**
Charter Ho. *S'sea* —4E **5**
Chartwell Dri. *Hav* —6A **22**
Chase, The. *Gos* —3B **48**
Chasewater Av. *Ports* —6C **42**
Chatburn Av. *Water* —4G **9**

Chatfield Av. *Ports* —4E **41**
Chatfield Ho. Ports —1D **50**
 (off Fyning St.)
Chatfield Rd. *Gos* —1C **38**
Chatham Clo. *Gos* —6A **40**
Chatham Dri. *Ports* —4B **50**
Chatsworth Av. *Ports* —5B **30**
Chatsworth Clo. *Fare* —2E **25**
Chatsworth Ct. *S'sea* —4D **50**
Chaucer Av. *Ports* —2C **28**
Chaucer Clo. *Fare* —1H **25**
Chaucer Clo. *Water* —5G **9**
Chaucer Ho. *Ports*
 —2C **50** (3G **5**)
Chedworth Cres. *Ports* —2E **29**
Cheeryble Ho. *Ports* —6H **41**
Chelmsford Rd. *Ports* —3B **42**
Chelsea Rd. *S'sea* —4D **50**
Cheltenham Cres. *Lee S*
 —6H **37**
Cheltenham Rd. *Ports* —3G **29**
Chepstow Ct. *Water* —6B **10**
Cheriton Clo. *Hav* —4D **20**
Cheriton Clo. *Water* —6B **6**
Cheriton Rd. *Gos* —3B **48**
Cherque La. *Lee S* —5A **38**
Cherry Blossom Ct. *Ports*
 —6H **41**
Cherry Clo. *Lee S* —2E **47**
Cherrygarth Rd. *Fare* —2E **25**
Cherry Tree Av. *Fare* —3F **25**
Cherry Tree Av. *Water* —4B **10**
Cherrywood Gdns. *Hay I*
 —3C **54**
Chervil Clo. *Water* —4C **6**
Cheshire Clo. *White* —4B **10**
Cheshire Way. *Ems* —1H **35**
Cheslyn Rd. *Ports* —1H **51**
Chester Courts. *Gos* —3E **49**
Chester Cres. *Lee S* —3F **47**
Chesterfield Rd. *Ports* —5C **42**
Chester Pl. *S'sea* —5D **50**
Chesterton Gdns. *Water* —4G **9**
Chestnut Av. *Hav* —6B **20**
Chestnut Av. *S'sea* —3F **51**
Chestnut Av. *Water* —2C **10**
Chestnut Clo. *Water* —3B **8**
Chestnut Ct. *Row C* —1H **21**
Chestnut Wlk. *Gos* —4G **39**
Chetwynd Rd. *S'sea* —4E **51**
Chevening Ct. *S'sea* —2H **51**
Cheviot Wlk. *Fare* —4H **25**
Chewter Clo. *S'sea* —6E **51**
Cheyne Way. *Lee S* —2D **46**
Chichester Av. *Hay I* —5B **54**
Chichester Clo. *Gos* —3B **38**
Chichester Ho. *Hav* —6G **21**
Chichester Rd. *Hay I* —4E **45**
Chichester Rd. *Ports* —5H **41**
Chidham Clo. *Hav* —1E **33**
Chidham Dri. *Hav* —1E **33**
Chidham Rd. *Ports* —2C **30**
Chidham Sq. *Hav* —1E **33**
Chidham Wlk. *Hav* —1E **33**
Chilbolton Ct. *Hav* —3H **21**
Chilcomb Clo. *Lee S* —1D **46**
Chilcombe Clo. *Hav* —6F **21**
Chilcote Rd. *Ports* —6C **42**
Childe Sq. *Ports* —3G **41**
Chilgrove Rd. *Ports* —3E **31**
Chilsdown Way. *Water* —5G **19**
Chiltern Ct. *Gos* —2D **48**
Chiltern Wlk. *Fare* —4H **25**
Chilworth Gdns. *Water* —1C **6**
Chilworth Gro. *Gos* —2C **48**
Chine, The. *Gos* —4D **38**
Chipstead Ho. *Ports* —3B **30**
Chipstead Rd. *Ports* —3B **30**
Chitty Rd. *S'sea* —5G **51**

Chivers Clo. *S'sea*
 —4C **50** (6G **5**)
Christchurch Gdns. *Water*
 —1D **30**
Christopher Way. *Ems* —1D **34**
Christyne Ct. *Water* —4F **19**
Church Clo. *Clan* —1F **7**
Churcher Clo. *Gos* —4H **47**
Churcher Rd. *Ems* —5F **23**
Churcher Wlk. *Gos* —4H **47**
Churchill Ct. *Ports* —3G **31**
Churchill Ct. *Water* —1A **10**
Churchill Dri. *Ems* —5D **22**
Churchill M. Gos —1C **48**
 (off Forton Rd.)
Churchill Sq. *S'sea* —5H **51**
Churchill Yd. Ind. Est. *Water*
 —6F **9**
Church La. *Hav* —4H **33**
Church La. *Hay I* —2E **45**
Church Path. *Ems* —3D **34**
Church Path. *Fare* —2C **26**
Church Path. *Gos* —3F **49**
Church Path. *Hav* —4H **33**
Church Path. *Horn* —1D **10**
Church Path. *Titch* —3C **24**
Chu. Path N. *Ports*
 —1D **50** (1G **5**)
Church Pl. *Fare* —1C **26**
Church Rd. *Fare* —5C **28**
Church Rd. *Gos* —5C **48**
Church Rd. *Hay I* —3C **54**
Church Rd. *Ports*
 (in two parts) —1D **50** (1H **5**)
Church Rd. *S'brne* —3H **35**
Church Rd. *Westb* —6F **23**
Church St. *Ports* —6G **41**
Church St. *Titch* —3C **24**
Church Vw. *S'sea* —3G **51**
Church Vw. *Westb* —6F **23**
Cinderford Clo. *Ports* —2G **29**
Circle, The. *S'sea* —5D **50**
Circle, The. *Wick* —1A **14**
Circular Rd. *Ports*
 —6F **41** (1D **4**)
City Quay. *Ports*
 —3A **50** (4B **4**)
Civic Cen. Rd. *Hav* —1F **33**
Civic Way. *Fare* —2C **26**
Clacton Rd. *Ports* —3H **29**
Claire Gdns. *Water* —3C **6**
Clanfield Ho. *Ports*
 —1D **50** (1H **5**)
Clanwilliam Rd. *Lee S* —1D **46**
Clare Ho. *Gos* —6F **39**
Claremont Gdns. *Water*
 —5G **19**
Claremont Rd. *Ports* —2E **51**
Clarence Esplanade. *S'sea*
 —5B **50**
Clarence Pde. *S'sea* —5B **50**
Clarence Rd. *Gos* —2F **49**
Clarence Rd. *S'sea* —5B **50**
Clarence St. *Ports* —1C **50**
Clarendon Ct. S'sea —6D **50**
 (off Clarendon Rd.)
Clarendon Pl. *Ports*
 (Arundel Way) —2C **50** (2G **5**)
Clarendon Pl. *Ports* —1D **50**
 (Clarendon St.)
Clarendon Rd. *Hav* —2E **33**
Clarendon Rd. *S'sea* —5C **50**
Clarendon St. *Ports* —1D **50**
Clarke's Rd. *Ports* —1F **51**
Claudia Ct. *Gos* —1B **48**
Claxton St. *Ports*
 —2D **50** (2H **5**)
Claybank Rd. *Ports* —4C **42**
Claybank Spur. *Ports* —4C **42**

Claydon Av. *S'sea* —3G **51**
Clayhall Rd. *Gos* —5C **48**
Clee Av. *Fare* —3F **25**
Cleeve Clo. *Ports* —2F **29**
Clegg Rd. *S'sea* —4G **51**
Clement Attlee Way. *Ports*
—3F **29**
Cleveland Dri. *Fare* —3F **25**
Cleveland Rd. *Gos* —4D **48**
Cleveland Rd. *S'sea* —3E **51**
Cleverley Ho. *Ports* —3B **4**
Cliffdale Gdns. *Cosh* —2C **30**
Cliff Rd. *Fare* —4A **36**
Clifton Cres. *Water* —3D **8**
Clifton Rd. *Lee S* —3E **47**
Clifton Rd. *S'sea* —5C **50**
Clifton St. *Gos* —1B **48**
Clifton St. *Ports* —1E **51**
Clifton Ter. *S'sea* —5C **50**
Climaur Ct. *S'sea* —5D **50**
Clinton Rd. *Water* —4E **9**
Clive Gro. *Fare* —4A **28**
Clive Rd. *Ports* —1E **51**
Clock St. *Ports*
—2A **50** (3B **4**)
Clocktower Dri. *S'sea* —5H **51**
Cloisters, The. *Fare* —1E **25**
Close, The. *Fare* —3A **28**
Close, The. *Ports* —4C **30**
Close, The. *Water* —4C **50**
Close, The. *Titch* —4B **24**
Closewood Rd. *Water* —6C **8**
Clovelly Rd. *Ems* —3C **34**
Clovelly Rd. *Hay I* —1E **45**
Clovelly Rd. *S'brne* —2H **35**
Clovelly Rd. *S'sea* —3G **51**
Clover Clo. *Gos* —3C **38**
Clover Ct. *Water* —3A **20**
Cluster Ind. Est. *S'sea* —2F **51**
Clydebank Rd. *Ports* —5H **41**
Clyde Ct. *Gos* —1B **48**
Clyde Rd. *Gos* —1B **48**
Coach Hill. *Fare* —3B **24**
Coach Ho. *S'sea* —3A **52**
Coal Yd. Rd. *S'sea* —2F **51**
Coastguard Clo. *Gos* —5B **48**
Coastguard Cotts. *Hav* —5F **33**
Coates Way. *Water* —4G **19**
Cobalt St. *Gos* —1G **47**
Cobblewood. *Ems* —6D **22**
Cobden Av. *Ports* —5C **42**
Cobden St. *Gos* —2D **48**
Cobham Gro. *White* —4A **12**
Coburg St. *Ports* —2D **50**
Cochrane Clo. *Gos* —1H **47**
Cochrane Ho. *Ports*
—2A **50** (3B **4**)
Cockleshell Gdns. *S'sea*
—4A **52**
Codrington Ho. *Ports* —2B **4**
Coghlan Clo. *Fare* —1B **26**
Colbury Gro. *Hav* —4C **20**
Colchester Rd. *Ports* —2H **29**
Cold Harbour Clo. *Wick*
—2A **14**
Coldharbour Farm Rd. *Ems*
—2D **34**
Coldhill La. *Water* —6A **6**
(in two parts)
Colebrook Av. *Ports* —5D **42**
Colemore Sq. *Hav* —5F **21**
Colenso Rd. *Fare* —2A **26**
Coleridge Gdns. *Water* —3H **9**
Coleridge Rd. *Ports* —2D **28**
Colesbourne Rd. *Ports* —2F **29**
Colinton Av. *Fare* —2B **28**
College Clo. *Row C* —6H **11**
College La. *Ports*
—2A **50** (3B **4**)

College Rd. *Navy*
—2A **50** (1B **4**)
College Rd. *Pur* —1G **31**
College St. *Ports*
—2A **50** (3B **4**)
Collington Cres. *Ports* —2F **29**
Collingwood Ho. *Fare* —1F **25**
Collingwood Retail Pk. *Fare*
—5A **26**
Collingwood Rd. *S'sea* —5D **50**
Collins Rd. *S'sea* —5G **51**
Collis Rd. *Ports* —5C **42**
Colpoy St. *S'sea*
—3B **50** (5E **5**)
Coltsfoot Dri. *Water* —4H **19**
Coltsmead. *Ports* —3D **28**
Colville Rd. *Ports* —3C **30**
Colwell Rd. *Ports* —4B **30**
Comfrey Clo. *Water* —4C **6**
Comley Hill. *Hav* —2A **22**
Commercial Pl. *Ports*
—1C **50** (1G **5**)
Commercial Rd. *Ports*
(in two parts) —2C **50** (2F **5**)
Comn. Barn La. *Lee S* —6H **37**
(in two parts)
Common La. *S'wick* —1C **16**
Common La. *Titch* —3A **24**
Commonside. *Ems* —4F **23**
Common St. *Ports* —1D **50**
Compass Clo. *Gos* —1H **47**
Compass Point. *Fare* —3B **26**
Compass Rd. *Ports* —4F **29**
Compton Clo. *Hav* —6F **21**
Compton Clo. *Lee S* —1D **46**
Compton Ct. *Hav* —1E **33**
Compton Rd. *Ports* —2A **42**
Conan Rd. *Ports* —1A **42**
Concorde Way. *Fare* —4A **12**
Condor Av. *Fare* —3F **27**
Conford Ct. *Hav* —3D **20**
Conifer Clo. *Water* —5A **10**
Conifer Gro. *Gos* —1B **38**
Conifer M. *Fare* —2B **28**
Conigar Rd. *Ems* —6D **22**
Coniston Av. *Ports* —5C **42**
Coniston Wlk. *Fare* —4G **25**
Connaught La. *Ports* —2D **28**
Connaught Rd. *Hav* —2G **33**
Connaught Rd. *Ports* —3H **41**
Connigar Clo. *Gos* —6C **38**
Connors Keep. *Water* —3F **9**
Conqueror Way. *Fare* —4F **37**
Consort Ct. *Fare* —2C **26**
Consort Ho. *Ports* —6H **41**
(off Prince's St.)
Constable Clo. *Gos* —6E **49**
Convent Ct. *Ems* —2C **34**
Convent La. *Ems* —3D **34**
Cooks La. *Ems* —2H **35**
Cooley Ho. *Gos* —1B **38**
Coombe Farm Av. *Fare* —3A **26**
Coombe Rd. *Gos* —6H **39**
Coombs Clo. *Water* —4C **6**
Cooper Gro. *Fare* —5B **28**
Cooper Rd. *Ports* —5D **42**
Copnor Rd. *Ports* —6B **30**
Copper Beech Dri. *Ports*
—3G **31**
Copperfield Ho. *Ports* —6H **41**
Copper St. *S'sea*
—4B **50** (6E **5**)
Coppice, The. *Gos* —3D **38**
Coppice, The. *Water* —1A **10**
Coppice Way. *Fare* —6F **13**
Coppins Gro. *Fare* —5A **28**
Copse Clo. *Water* —1F **31**
Copse La. *Gos* —4D **38**
Copse La. *Hay I* —5C **44**

Copse, The. *Fare* —5F **13**
Copsey Clo. *Ports* —3F **31**
Copsey Gro. *Ports* —4F **31**
Copsey Path. *Ports* —3F **31**
Copythorn Rd. *Ports* —4B **42**
Coral Clo. *Fare* —5A **28**
Coral Ct. *Gos* —1G **47**
Coralin Gro. *Water* —6B **10**
Corbett Rd. *Water* —3F **19**
Corby Cres. *Ports* —1D **42**
Corfe Clo. *Ports* —3C **36**
Corhampton Cres. *Hav*
—5D **20**
Corhampton Ho. *Ports* —1H **5**
Coriander Way. *White* —1A **12**
Cormorant Clo. *Fare* —3F **27**
Cormorant Wlk. *Gos* —3B **38**
Cornaway La. *Fare* —4H **27**
Cornbrook Gro. *Water* —6C **10**
Cornelius Dri. *Water* —6A **10**
Corner Mead. *Water* —3B **8**
Cornfield. *Fare* —5B **14**
Cornfield Rd. *Lee S* —1D **46**
Cornwallis Cres. *Ports* —1D **50**
Cornwallis Ho. *Ports* —1D **50**
(off Cornwallis Cres.)
Cornwall Rd. *Ports* —2E **51**
Cornwell Clo. *Gos* —6D **38**
Cornwell Clo. *Ports* —3F **41**
Coronado Rd. *Gos* —6H **39**
Coronation Eventide Homes.
Ports —1A **42**
Coronation Rd. *Hay I* —6G **55**
Coronation Rd. *Water* —1G **19**
Cort Way. *Fare* —5E **13**
Cosham Pk. Av. *Ports* —4B **30**
Cotswold Clo. *Hav* —3E **21**
Cotswold Wlk. *Fare* —4H **25**
Cottage Clo. *Water* —4B **8**
Cottage Gro. *Gos* —2D **48**
Cottage Gro. *S'sea*
—3C **50** (5G **5**)
Cottage Vw. *Ports*
—2D **50** (2H **5**)
Cotteridge Ho. *S'sea*
—2D **50** (4H **5**)
Cottesloe Ct. *S'sea* —5C **50**
Cottes Way. *Fare* —4C **36**
Cottesway E. *Fare* —4D **36**
Cotton Dri. *Ems* —5C **22**
(in two parts)
Cotwell Av. *Water* —3B **10**
Coulmere Rd. *Gos* —1C **48**
Country Vw. *Fare* —1D **36**
County Gdns. *Fare* —3E **25**
Ct. Barn Clo. *Lee S* —6H **37**
Ct. Barn La. *Lee S* —6H **37**
Court Clo. *Ports* —4D **30**
Courtenay Clo. *Fare* —6A **12**
Courtlands Ter. *Water* —3A **10**
Court La. *Ports* —4D **30**
Court Mead. *Ports* —3D **30**
Courtmount Gro. *Ports*
—3C **30**
Courtmount Path. *Ports*
—2C **30**
Court Rd. *Lee S* —6G **37**
Cousins Gro. *S'sea* —5G **51**
Coventry St. *Gos* —1H **47**
Coverack Way. *Port S* —4F **29**
Covert Gro. *Water* —4A **20**
Covindale Ho. *S'sea* —4G **51**
Covington Rd. *Ems* —4F **23**
Cowan Rd. *Water* —4F **19**
Coward Rd. *Gos* —5B **48**
Cowdray Ho. *Ports* —2H **5**
Cowdray Pk. *Fare* —3C **36**
Cowes Ct. *Fare* —3E **25**
Cow La. *Portc* —4B **28**

Cow La. *Ports* —4H **29**
Cowper Rd. *Ports* —1E **51**
Cowslip Clo. *Gos* —3C **38**
Crabbe Ct. *S'sea*
—3C **50** (5G **5**)
Crabden La. *Horn* —5E **7**
Crabthorne Farm La. *Fare*
—2D **36**
Crabwood Ct. *Hav* —2D **20**
Craddock Ho. *Ports* —2B **4**
Craig Ho. *S'sea* —5D **50**
(off Marmion Av.)
Craigwell Rd. *Water* —5G **19**
Cranborne Rd. *Ports* —2C **30**
Cranborne Wlk. *Fare* —4G **25**
Cranbourne Rd. *Gos* —4E **49**
Craneswater Av. *S'sea* —6E **51**
Craneswater Ga. *S'sea* —6E **51**
Craneswater M. *S'sea* —5E **51**
(off Craneswater Pk.)
Craneswater Pk. *S'sea* —5E **51**
Cranleigh Av. *Ports* —1E **51**
Cranleigh Rd. *Fare* —4G **27**
Cranleigh Rd. *Ports* —1E **51**
Crasswell St. *Ports*
(in two parts) —1C **50** (1G **5**)
Craven Ct. *Fare* —6G **13**
Crawford Dri. *Fare* —6H **13**
Crawley Av. *Hav* —3G **21**
Credenhill Rd. *Ports* —2G **29**
Creech Vw. *Den* —3A **8**
Creek End. *Ems* —4D **34**
Creek Rd. *Gos* —3F **49**
Creek Rd. *Hay I* —5F **55**
Creek Vw. Cvn. Est. *Hay I*
—5G **55**
Cremyll Clo. *Fare* —3E **37**
Crescent Gdns. *Fare* —2A **26**
Crescent Rd. *Fare* —2A **26**
Crescent Rd. *Gos* —6C **48**
Crescent, The. *Ems* —3H **35**
Crescent, The. *Water* —5E **19**
Cressy Rd. *Ports* —6H **41**
Crest Clo. *Fare* —2D **26**
Crestland Clo. *Water* —4A **10**
Crest, The. *Water* —1E **31**
Cricket Dri. *Water* —1A **10**
Crinoline Gdns. *S'sea* —5G **51**
Crisspyn Clo. *Water* —1B **10**
Croad Ct. *Fare* —2C **26**
Crockford Rd. *Ems* —5F **23**
Croftlands Av. *Fare* —2E **37**
Croft La. *Hay I* —4C **44**
Croft La. *Water* —6C **6**
Crofton Av. *Lee S* —5E **37**
Crofton Clo. *Water* —4E **19**
Crofton Ct. *Fare* —3E **37**
Crofton La. *Fare* —4D **36**
Crofton Rd. *Ports* —3A **42**
Crofton Rd. *S'sea* —2H **51**
Croft Rd. *Ports* —4H **41**
(in two parts)
Croft, The. *Fare* —1E **37**
Cromarty Av. *S'sea* —3H **51**
Cromarty Clo. *Fare* —2D **36**
Crombie Clo. *Water* —3H **9**
(in two parts)
Cromer Rd. *Ports* —2A **30**
Cromhall Clo. *Fare* —3E **25**
Cromwell Rd. *S'sea* —5H **51**
Crondall Av. *Hav* —3E **21**
Crooked Wlk. La. *S'wick*
—6C **16**
Crookham Clo. *Hav* —4C **20**
Crookhorn La. *Water* —2G **31**
Crossfell Wlk. *Fare* —4G **25**
Crossgill. *Water* —6A **6**
Crossland Clo. *Gos* —4E **49**
Crossland Dri. *Water* —6F **21**

Durley Av. *Water* —4G **9**
Durley Rd. *Gos* —1B **48**
Durrants Gdns. *Row C* —1H **21**
Durrants Rd. *Row C* —2H **21**
Dursley Cres. *Ports* —3G **29**
Dymchurch Ho. *Ports* —3A **30**
Dymoke St. *Ems* —5C **22**
Dysart Av. *Ports* —4D **30**

Eagle Av. *Water* —3F **9**
Eagle Clo. *Fare* —3F **27**
Eagle Rd. *Lee S* —6F **37**
Earlsdon St. *S'sea*
—3C **50** (4F **5**)
Earls Rd. *Fare* —4B **26**
Earnley Rd. *Hay I* —5H **55**
Eastbourne Av. *Gos* —5F **39**
Eastbourne Rd. *Ports* —5C **42**
Eastbrook Clo. *Gos* —5F **39**
E. Cams Clo. *Fare* —2F **27**
Eastcliff Clo. *Lee S* —6H **37**
E. Copsey Path. *Ports* —3F **31**
E. Cosham Rd. *Ports* —2D **30**
East Ct. *Cosh* —3D **30**
East Ct. *Ports* —6A **42**
Eastcroft Rd. *Gos* —2B **48**
Eastern Av. *S'sea* —1H **51**
Eastern Ind. Est. *Ports*
—5E **31**
Eastern Pde. *Fare* —4B **26**
Eastern Pde. *S'sea* —6F **51**
Eastern Rd. *Hav* —1F **33**
Eastern Rd. *Ports* —3F **41**
(PO2)
Eastern Rd. *Ports* —6E **31**
(PO6 & PO3)
Eastern Vs. Rd. *S'sea* —6D **50**
Eastern Way. *Fare* —2C **26**
Eastfield Av. *Fare* —4H **25**
Eastfield Clo. *Ems* —2H **35**
Eastfield Rd. *S'sea* —4G **51**
Eastfield Rd. *S'wick* —1F **29**
East Ga. *Ports* —6G **41**
E. Hill Clo. *Fare* —1D **26**
East Ho. Av. *Fare* —3F **37**
Eastlake Heights. *S'sea* —4B **52**
Eastland Ga. Cotts. *Love* —2F **9**
Eastleigh Rd. *Hav* —6A **22**
East Lodge. *Fare* —2E **25**
East Lodge. *Lee S* —1C **46**
E. Lodge Pk. *Ports* —3H **31**
Eastney Esplanade. *S'sea*
—5G **51**
Eastney Farm Rd. *S'sea*
—4A **52**
Eastney Rd. *S'sea* —3H **51**
Eastney St. *S'sea* —5H **51**
Eastoke Av. *Hay I* —6F **55**
Eastover Ct. *Hav* —3D **20**
E. Pallant. *Hav* —2F **33**
East Rd. *S'wick* —3E **17**
East St. *Fare* —2C **26**
East St. *Hav* —2F **33**
East St. *Portc* —3B **28**
East St. *Ports* —4H **49** (5A **4**)
East St. *Titch* —3B **24**
East St. *Westb* —6F **23**
E. Surrey St. *Ports*
—2C **50** (2G **5**)
Eastwood Clo. *Hay I* —3D **54**
Eastwood Rd. *Ports* —1A **42**
Ebery Gro. *Ports* —1H **51**
Ecton La. *Ports* —2E **43**
Edenbridge Rd. *S'sea* —2H **51**
Eden Path. *Ports* —2E **31**
Eden Ri. *Fare* —3B **26**
Eden St. *Ports* —1C **50** (1G **5**)
Edgar Cres. *Fare* —5B **28**

Edgbaston Ho. *S'sea*
—3C **50** (4G **5**)
Edgecombe Cres. *Gos* —5C **38**
Edgefield Gro. *Water* —6C **10**
Edgell Rd. *Ems* —5F **23**
Edgerly Gdns. *Ports* —5B **30**
Edgeware Rd. *S'sea* —2G **51**
Edinburgh Rd. *Ports*
—2B **50** (2E **5**)
Edmund Rd. *S'sea* —4E **51**
Edneys La. *Water* —3D **8**
Education Path. *Ports* —4A **30**
Edward Gdns. *Hav* —2C **32**
Edward Gro. *Fare* —2C **28**
Edwards Clo. *Ports* —2F **29**
Edwards Clo. *Water* —5H **9**
Egan Clo. *Ports* —2B **42**
Eglantine Clo. *Water* —3B **10**
Eglantine Wlk. *Water* —3B **10**
Eileen Beard Ho. *Hav* —4G **21**
Elaine Gdns. *Water* —2H **9**
Elderberry Clo. *Clan* —1D **6**
Elderberry Way. *Water* —3B **10**
Elderfield Clo. *Ems* —6E **23**
Elderfield Rd. *Hav* —2D **20**
Elder Rd. *Hav* —6H **21**
Eldon Building. *S'sea*
—3C **50** (4F **5**)
Eldon Ct. *S'sea* —3C **50** (5F **5**)
Eldon St. *S'sea* —3C **50** (5F **5**)
Elettra Av. *Water* —1E **19**
Elgar Clo. *Gos* —5C **48**
Elgar Clo. *Ports* —3C **28**
Elgar Wlk. *Water* —4G **19**
Elgin Clo. *Fare* —1H **25**
Elgin Rd. *Ports* —5B **30**
Eling Ct. *Hav* —3D **20**
Elizabeth Clo. *Wick* —1A **14**
Elizabeth Ct. *Fare* —4H **25**
Elizabeth Ct. *Gos* —1C **48**
Elizabeth Ct. *Ports* —3B **30**
Elizabeth Gdns. *S'sea* —5F **51**
Elizabeth Rd. *Stub* —3F **37**
Elizabeth Rd. *Water* —4G **19**
Elizabeth Rd. *Wick* —1A **14**
Eliza Pl. *Gos* —2E **49**
Elkstone Rd. *Ports* —2F **29**
Ellachie Gdns. *Gos* —6D **48**
Ellachie M. *Gos* —6D **48**
Ellachie Rd. *Gos* —6D **48**
Ellerslie Clo. *Fare* —4C **36**
Ellesmere Orchard. *Ems*
—5F **23**
Elliots Cvn. Est. *Hay I* —5G **55**
Ellisfield Rd. *Hav* —5E **21**
Elm Clo. Est. *Hay I* —4B **54**
Elm Gro. *Gos* —2D **48**
Elm Gro. *Hay I* —4C **54**
Elm Gro. *S'sea* —4C **50** (6F **5**)
Elmhurst Rd. *Fare* —3B **26**
Elmhurst Rd. *Gos* —3E **49**
Elm La. *Hav* —2F **33**
Elmleigh Rd. *Hav* —1F **33**
Elm Lodge. *S'sea* —6H **5**
Elmore Av. *Lee S* —2D **46**
Elmore Clo. *Lee S* —2D **46**
Elmore Rd. *Lee S* —3D **46**
Elm Pk. Rd. *Hav* —1F **33**
Elm Rd. *Hav* —3G **33**
Elms Rd. *Fare* —4B **26**
Elm St. *S'sea* —4C **50** (6E **5**)
Elmswelle Rd. *Water* —1A **10**
Elmtree Rd. *Ports* —3G **31**
Elmwood Av. *Water* —3G **19**
Elmwood Lodge. *Fare* —1B **26**
Elmwood Rd. *Ports* —1A **42**
Elphinstone Rd. *S'sea* —5C **50**
Elsfred Rd. *Fare* —4C **36**
Elsie Fudge Ho. *Water* —6H **11**

Elson La. *Gos* —5G **39**
Elson Rd. *Gos* —5F **39**
Elstead Gdns. *Water* —5E **19**
Elwell Grn. *Hay I* —4B **54**
Ely Ct. *Gos* —2H **47**
Emanuel St. *Ports* —6H **41**
Embassy Ct. *S'sea* —3E **51**
Emerald Clo. *Water* —2A **20**
Empshott Rd. *S'sea* —3F **51**
Empson Wlk. *Lee S* —6H **37**
Emsbrook Dri. *Ems* —1D **34**
Emsworth By-Pass. *Ems*
—2A **34**
Emsworth Cen., The. *Ems*
—3D **34**
Emsworth Comn. Rd.
Hav & Ems —4B **22**
Emsworth Ho. *Ems* —2B **34**
Emsworth Ho. Clo. *Ems*
—2C **34**
Emsworth Rd. *Hav* —2G **33**
Emsworth Rd. *Ports* —4A **42**
Emsworth Rd. *Thor I* —6F **35**
(in two parts)
Endeavour Clo. *Gos* —3F **49**
Enderleigh Ho. *Hav* —2E **33**
Endofield Clo. *Fare* —5H **25**
Ennerdale Clo. *Water* —3C **6**
Ennerdale Rd. *Water* —1F **37**
Ensign Dri. *Gos* —1H **47**
Enterprise Ho. *Ports* —3F **5**
Enterprise Ind. Est. *Water*
—5C **6**
Enterprise Rd. *Water* —5C **6**
Epperston Rd. *Water* —1A **10**
Epworth Rd. *Ports* —4B **42**
Erica Clo. *Water* —4B **10**
Erica Way. *Water* —3B **10**
Eric Rd. *Fare* —3E **37**
Eric Taplin Ct. *S'sea* —4E **51**
Ernest Clo. *Ems* —2D **34**
Ernest Rd. *Hav* —6C **20**
Ernest Rd. *Ports* —6A **42**
Escur Clo. *Ports* —1B **42**
Esher Gro. *Water* —5E **9**
Eskdale Clo. *Water* —3C **6**
Esmond Clo. *Ems* —3D **34**
Esmonde Clo. *Lee S* —1D **46**
Esplanade. *Lee S* —2C **46**
Esplanade Gdns. *S'sea*
—5A **52**
Esplanade, The. *Gos* —3G **49**
Essex Rd. *S'sea* —3G **51**
Esslemont Rd. *S'sea* —4F **51**
Estella Rd. *Ports* —5H **41**
Ethel Rd. *Ports* —1E **51**
Eton Rd. *S'sea* —3E **51**
Euryalus Rd. *Fare* —5H **25**
Euston Rd. *S'sea* —2H **51**
Eva Allaway Ct. *Ports* —3C **4**
Evans Clo. *Ports* —3F **41**
Evans Rd. *S'sea* —3G **51**
Evelegh Rd. *Ports* —3F **31**
Everdon La. *Ports* —1E **43**
Everell Ct. *S'sea* —6D **50**
Everglades Av. *Water* —4H **9**
Evergreen Clo. *Water* —2F **19**
Eversley Cres. *Hav* —5E **21**
Ewart Rd. *Ports* —6A **42**
Ewhurst Clo. *Hav* —5D **20**
Exbury Rd. *Hav* —4G **21**
Excellent Rd. *Fare* —6H **25**
Exchange Rd. *Ports*
—2B **50** (3E **5**)
Exeter Clo. *Ems* —6D **22**
Exeter Ct. *Gos* —1G **47**
Exeter Rd. *S'sea* —5F **51**
Exmouth Rd. *Gos* —5G **39**
Exmouth Rd. *S'sea* —5D **50**

Exton Gdns. *Fare* —1A **28**
Exton Rd. *Hav* —4H **21**

Faber Clo. *Hav* —5G **21**
Fabian Clo. *Water* —1A **20**
Fairacre Ri. *Fare* —3D **24**
Fairacre Wlk. *Fare* —4D **24**
Fairbourne Clo. *Water* —5G **9**
Fairfield Av. *Fare* —4G **25**
Fairfield Clo. *Ems* —1D **34**
Fairfield Rd. *Hav* —2F **33**
Fairfield Sq. *Ports* —3A **30**
Fairhome Clo. *Gos* —6G **39**
Fair Isle Clo. *Fare* —2D **36**
Fairlead Dri. *Gos* —1H **47**
Fairlea Rd. *Ems* —6D **22**
Fairmead Ct. *Hay I* —4A **54**
Fair Mdw. Way. *Ems* —3B **34**
Fairmead Wlk. *Water* —4A **10**
Fair Oak Ct. *Gos* —4H **47**
Fair Oak Dri. *Hav* —6F **21**
Fairthorne Gdns. *Gos* —3C **48**
Fairview Ct. *Gos* —3A **48**
Fairwater Clo. *Gos* —4B **38**
Fairway Bus. Cen. *Ports*
—3D **42**
Fairway, The. *Fare* —3A **28**
Fairway, The. *Gos* —4C **38**
Fairway, The. *Row C* —5H **11**
Fairy Cross Way. *Water*
—4B **10**
Falcon Clo. *Fare* —3F **27**
Falcon Grn. *Ports* —4H **31**
Falcon Rd. *Water* —6A **6**
Falklands Clo. *Lee S* —6H **37**
Falklands Rd. *Ports* —1A **42**
Falmouth Rd. *Ports* —2D **28**
Fareham Enterprise Cen. *Fare*
—5A **26**
Fareham Heights. *Fare* —6D **14**
Fareham Ind. Pk. *Fare* —6D **14**
Fareham Pk. Rd. *Fare* —5E **13**
Fareham Rd. *Gos* —6B **26**
Fareham Rd. *S'wick* —4C **16**
Fareham Rd. *Wick* —2A **14**
Fareham Shop. Cen. *Fare*
—2B **26**
Farleigh Clo. *Hav* —4D **20**
Farlington Av. *Cosh* —2E **31**
Farlington Rd. *Ports* —4B **42**
Farm Edge Rd. *Fare* —4E **37**
Farm Ho. Clo. *Fare* —6E **25**
Farmhouse Way. *Water*
—2A **10**
Farm La. Clo. *Water* —3F **19**
Farmlea Rd. *Ports* —3E **29**
Farm Rd. *Fare* —1A **24**
Farmside Gdns. *Ports* —1B **42**
Farm Vw. *Ems* —6D **22**
Farm Vw. Av. *Water* —2F **7**
Faroes Clo. *Fare* —2D **36**
Farriers Clo. *S'sea* —5D **50**
Farriers Wlk. *Gos* —2F **49**
(off Clarence Rd.)
Farriers Way. *Water* —6C **10**
Farrier Way. *Fare* —5B **26**
Farringdon Rd. *Hav* —5G **21**
Farthingale Ter. *Ports*
—4A **50** (6C **4**)
(off Peacock La., in two parts)
Farthing La. *Ports*
—4A **50** (6C **4**)
Farthings Ga. *Water* —6G **19**
Fastnet Ho. *S'sea* —6D **50**
Fastnet Way. *Fare* —2D **36**
Fathoms Reach. *Hay I* —3A **54**
Fawcett Rd. *S'sea* —3E **51**
Fawley Cl. *Hav* —4H **21**

Fawley Rd.—Gladstone Gdns.

Fawley Rd. *Ports* —6A **30**
Fay Clo. *Fare* —3E **37**
Fayre Rd. *Fare* —4A **26**
Fearon Rd. *Ports* —3A **42**
Felix Rd. *Gos* —6H **39**
Fell Dri. *Lee S* —6H **37**
Feltons Pl. *Ports* —6B **30**
Fen Av. *Fare* —4B **26**
Fennell Clo. *Water* —6F **9**
Ferncroft Clo. *Fare* —4E **37**
Ferndale. *Water* —2H **19**
Ferndale M. *Gos* —1B **38**
Fern Dri. *Hav* —1G **33**
Ferneham Rd. *Fare* —1E **25**
Fernhurst Clo. *Hav* —1H **53**
Fernhurst Rd. *S'sea* —3F **51**
Fernie Clo. *Fare* —3D **36**
Fern Way. *Fare* —6A **12**
Fernwood Ho. *Cowp* —5A **10**
Ferrol Rd. *Gos* —1E **49**
Ferry Gdns. *Gos* —3G **49**
Ferry Rd. *S'sea* —4B **52**
   (in two parts)
Festing Gro. *S'sea* —5F **51**
Festing Rd. *S'sea* —5F **51**
Field Clo. *Gos* —6B **26**
Fielder Dri. *Fare* —5B **26**
Fielders Ct. *Water* —5E **19**
Fieldfare Clo. *Water* —1C **6**
Fieldhouse Dri. *Lee S* —5H **37**
Fieldmore Rd. *Gos* —6H **39**
Field Way. *Water* —3B **8**
Fifth Av. *Hav* —1H **33**
Fifth Av. *Ports* —3A **30**
Fifth St. *Ports* —6B **42**
Filmer Clo. *Gos* —5D **38**
Finchdean Rd. *Hav* —5D **20**
Finch Rd. *S'sea* —4B **52**
Finchwood Farm Ind. Units.
   Hay I —4D **44**
Findon Rd. *Gos* —5H **39**
Finisterre Clo. *Fare* —1D **36**
Fir Copse Rd. *Water* —6F **19**
Firgrove Cres. *Ports* —6B **30**
Firlands Ri. *Hav* —2A **32**
Firs Av. *Water* —5H **9**
First Av. *Cath* —2C **6**
First Av. *Cosh* —3B **30**
First Av. *Ems* —3H **35**
First Av. *Farl* —3F **31**
First Av. *Hav* —1H **33**
Firs, The. *Gos* —4D **38**
Fir Tree Gdns. *Water* —2C **10**
Fir Tree Rd. *Hay I* —4C **54**
Fisgard Rd. *Gos* —6H **39**
Fisher Clo. *Fare* —2D **36**
Fishermans, The. *Ems* —3E **35**
Fisherman's Wlk. *Fare* —4B **28**
Fisherman's Wlk. *Hay I*
   —5G **55**
Fisher Rd. *Gos* —2C **38**
Fishers Gro. *Ports* —4G **31**
Fishers Hill. *Fare* —1C **24**
Fishery Creek Cvn. Pk. *Hay I*
   —5F **55**
Fishery La. *Hay I* —5E **55**
Fitzherbert Rd. *Ports* —4F **31**
Fitzherbert Spur. *Farl* —4G **31**
Fitzherbert St. *Ports* —1C **50**
Fitzpatrick Ct. *Ports* —2H **29**
Fitzroy Wlk. *Ports* —1D **50**
Fitzwilliam Av. *Fare* —3C **36**
Fitzwygram Cres. *Hav* —6F **21**
Five Heads Rd. *Water* —5A **6**
Five Post La. *Gos* —1D **48**
Flag Staff Grn. *Gos* —1F **49**
Flag Wlk. *Water* —2H **9**
Flamingo Ct. *Fare* —3F **27**
Flanders Ho. *Fare* —3G **25**

Flathouse Quay. *Ports* —6G **41**
Flathouse Rd. *Ports*
   —1B **50** (1D **4**)
   (Anchor Ga. Rd.)
Flathouse Rd. *Ports* —6G **41**
   (Victory Retail Pk.)
Fleet Clo. *Gos* —4D **38**
Fleetend Clo. *Hav* —3E **21**
Fleet Farm Camping & Cvn.
   Site. *Hay I* —5C **44**
Fleming Clo. *Fare* —5A **12**
Flexford Gdns. *Hav* —6G **21**
Flinders Ct. *S'sea* —5H **51**
Flint Ho. Path. *Ports* —5E **31**
Flint St. *S'sea* —4B **50** (6E **5**)
Florence Rd. *S'sea* —6D **50**
Florentine Way. *Water* —1A **20**
Florins, The. *Water* —6G **19**
Flying Bull Clo. *Ports* —5H **41**
   (off Flying Bull La.)
Flying Bull La. *Ports* —5H **41**
Foley Ho. *Ports* —1D **50**
Folkestone Rd. *Ports* —6C **42**
Fontley La. *L Hth* —6C **12**
Fontley Rd. *Titch* —5C **12**
   (in two parts)
Fontwell M. *Water* —6B **10**
Fontwell Rd. *S'sea* —5D **50**
Forbury Rd. *S'sea*
   —3D **50** (4H **5**)
Fordingbridge Rd. *S'sea*
   —4H **51**
Ford Rd. *Gos* —1B **48**
Foreland Ct. *Hay I* —5E **55**
Foremans Cotts. *Gos* —5F **49**
Forest Av. *Water* —4H **9**
Forest Clo. *Water* —4H **9**
Forest End. *Water* —2F **19**
Forest La. *Fare* —1C **14**
Forest Mead. *Water* —4B **8**
Forest Rd. *Den & Water* —3A **8**
Forestside Av. *Hav* —4G **21**
Forest Way. *Gos* —3D **38**
Forneth Gdns. *Fare* —3D **24**
Forsythia Clo. *Water* —5H **21**
Fort Cumberland Rd. *S'sea*
   —4B **52**
Fort Fareham Ind. Site. *Fare*
   —5A **26**
Fort Fareham Rd. *Fare* —5H **25**
Forth Clo. *Fare* —2D **36**
Forties Clo. *Fare* —1D **36**
Forton Rd. *Gos* —1C **48**
Forton Rd. *Ports* —1E **51**
Fort Rd. *Gos* —6C **48**
Fortune Ho. *Gos* —2C **48**
Fortunes Way. *Hav* —2H **31**
Fort Wallington Ind. Est. *Fare*
   —1D **26**
Forum, The. *Hav* —1E **33**
Foster Clo. *Fare* —1E **37**
Foster Rd. *Gos* —4C **48**
Foster Rd. *Ports* —1D **50**
Founders Way. *Gos* —3D **38**
Foundry Ct. *Ports*
   —2A **50** (2C **4**)
Fountain St. *Ports*
   —2C **50** (2F **5**)
Four Marks Grn. *Hav* —3H **21**
Fourth Av. *Hav* —1H **33**
Fourth Av. *Ports* —3A **30**
Fourth St. *Ports* —1F **51**
Foxbury. *Gos* —1D **38**
Foxbury Gro. *Fare* —4H **27**
Foxbury La. *Gos* —1D **38**
   (in two parts)
Foxbury La. *Westb* —6F **23**
Foxcott Gro. *Hav* —4F **21**
Foxes Clo. *Water* —3G **19**

Foxgloves. *Fare* —6C **14**
Foxlea Gdns. *Gos* —6H **39**
Foxley Dri. *Ports* —1D **42**
Frances Av. *S'sea* —4F **51**
Francis Clo. *Lee S* —2E **47**
Francis Pl. *Fare* —3F **37**
Francis Rd. *Horn* —2C **6**
Frank Judd Ct. *Ports* —3C **4**
Frankland Ter. *Ems* —3E **35**
Franklin Rd. *Gos* —6C **38**
Frank Miles Ho. *S'sea* —5G **5**
Frarydene. *Prin* —3H **35**
Fraser Gdns. *Ems* —1H **35**
Fraser Rd. *Gos* —1C **38**
Fraser Rd. *Hav* —1D **32**
Fraser Rd. *Ports* —3F **41**
Fraser Rd. *S'sea*
   —3D **50** (4H **5**)
Frater La. *Gos* —4G **39**
Fratton Ct. *Ports* —2E **51**
   (off Penhale Rd.)
Fratton Ind. Est. *S'sea* —2F **51**
Fratton Rd. *Ports* —2E **51**
Frederick St. *Ports* —1C **50**
Freefolk Grn. *Hav* —3H **21**
Freemantle Rd. *Gos* —6H **39**
Freestone Rd. *S'sea* —5D **50**
Frenchies Vw. *Water* —3A **8**
French St. *Ports*
   —4A **50** (6B **4**)
Frendstaple Rd. *Water* —2H **19**
Frensham Ct. *S'sea* —3F **51**
Frensham Rd. *S'sea* —3F **51**
Freshfield Gdns. *Water*
   —1G **19**
Freshwater Ct. *Lee S* —1C **46**
Freshwater Ho. *Fare* —3E **25**
Freshwater Rd. *Ports* —4A **30**
Friars Pond Rd. *Fare* —2E **25**
Friary Clo. *S'sea* —5D **50**
Friary, The. *S'sea* —5C **50**
Frobisher Clo. *Gos* —1G **47**
Frobisher Gdns. *Ems* —3D **34**
Frobisher Gro. *Fare* —4A **28**
Frobisher Ho. *Ports*
   —2A **50** (2B **4**)
Froddington Rd. *S'sea* —3D **50**
Frogham Grn. *Hav* —3C **20**
Frogmore. *Fare* —3E **25**
Frogmore La. *Water* —2H **9**
Frogmore Rd. *S'sea* —3G **51**
Frosthole Clo. *Fare* —6G **13**
Frosthole Cres. *Fare* —6G **13**
Froude Av. *Gos* —5E **49**
Froude Rd. *Gos* —5E **49**
Froxfield Gdns. *Fare* —2A **28**
Froxfield Ho. *Ports*
   —1D **50** (1H **5**)
   (off Buriton St.)
Froxfield Rd. *Hav* —4H **21**
Froyle Ct. *Hav* —4H **21**
Fry Rd. *Gos* —2E **49**
Fulflood Rd. *Hav* —4E **21**
Fullerton Clo. *Hav* —4H **21**
Fulmar Wlk. *Gos* —2A **38**
Fulmer Wlk. *Water* —3G **9**
Funtington Rd. *Ports* —5B **42**
Funtley Ct. *Fare* —5G **13**
Funtley Hill. *Fare* —5G **13**
Funtley La. *Fare* —4G **13**
Funtley Rd. *Fare* —3F **13**
Furdies. *Water* —3A **8**
Furlonge Ho. *Ems* —2C **34**
Furneaux Gdns. *Fare* —6B **14**
Furness Rd. *S'sea* —6D **50**
Furniss Way. *Hay I* —3H **53**
Furnston Gro. *Ems* —2H **35**
Fury Way. *Fare* —2D **36**

Furzedown Cres. *Hav* —4G **21**
Furze Hall. *Fare* —5B **14**
Furzehall Av. *Fare* —6B **14**
Furze La. *S'sea* —3B **52**
Furzeley Rd. *Water* —5B **8**
Furze Way. *Water* —3B **10**
Furzley Ct. *Hav* —3C **20**
Fushia Clo. *Hav* —5A **22**
Fyning St. *Ports*
   —1D **50** (1H **5**)

G
Gable M. *Hay I* —3C **54**
Gainsborough Ho. *S'sea*
   —5E **51**
Gainsborough M. *Fare* —3B **24**
Gains Rd. *S'sea* —5E **51**
Galaxie Rd. *Water* —3B **10**
Gale Moor Av. *Gos* —4H **47**
Galt Rd. *Ports* —3G **31**
Gamble Rd. *Ports* —5H **41**
Gannets, The. *Fare* —2D **36**
Garden Clo. *Hay I* —4B **54**
Garden Ct. *Fare* —3B **28**
Gardenia Dri. *Fare* —6A **12**
Garden La. *S'sea* —4C **50**
Gardens, The. *Hav* —2H **33**
Garden Ter. *S'sea* —5D **50**
Gardner Rd. *Fare* —4B **24**
Garfield Rd. *Ports* —5H **41**
Garland Av. *Ems* —6D **22**
Garland Ct. *Gos* —2D **48**
Garnett Clo. *Fare* —1E **37**
Garnier Pk. *Wick* —1A **14**
Garnier St. *Ports* —2D **50**
Garrick Ho. *Ports* —1B **42**
Garsons Rd. *Ems* —3H **35**
Garstons Clo. *Fare* —3B **24**
Garstons Rd. *Fare* —3B **24**
Gatcombe Av. *Ports* —3B **42**
Gatcombe Dri. *Ports* —2B **42**
Gatcombe Gdns. *Fare* —3D **24**
Gate Ho. Rd. *Fare* —4G **27**
Gaulter Clo. *Hav* —6G **21**
Gawn Pl. *Gos* —5E **49**
Gaylyn Way. *Fare* —3D **24**
Gaza Ho. *Fare* —6E **13**
Gazelle Clo. *Gos* —2H **47**
Genoa Ho. *Port S* —4E **29**
Geoffrey Av. *Water* —1D **30**
Geoffrey Cres. *Fare* —4B **26**
George Byng Way. *Ports*
   —5G **41**
George Ct., The. *Ports* —6C **4**
George St. *Gos* —2E **49**
George St. *Ports* —6A **42**
Georgia Clo. *Lee S* —6H **37**
Gerard Ho. *Ports* —1A **42**
Gibraltar Clo. *Fare* —1F **25**
Gibraltar Rd. *Fare* —5H **25**
Gibraltar Rd. *S'sea* —4B **52**
Gibson Clo. *Lee S* —6H **37**
   (in two parts)
Gibson Clo. *White* —3A **12**
Gifford Clo. *Fare* —1G **25**
Gilbert Clo. *Gos* —2A **38**
Gilbert Mead. *Hay I* —3A **54**
Gilbert Way. *Water* —4G **19**
Giles Clo. *Fare* —6B **14**
Giles Clo. *Gos* —1C **48**
Gilkicker Rd. *Gos* —6E **49**
Gillies, The. *Fare* —2A **26**
   (in two parts)
Gillman Rd. *Ports* —2G **31**
Gitsham Gdns. *Water* —6E **19**
Glade, The. *Fare* —5F **13**
Glade, The. *Hay I* —6E **55**
Glade, The. *Water* —1A **20**
Gladstone Gdns. *Fare* —4A **28**

Gladstone Pl. *Ports* —5H **41**
Gladstone Rd. *Gos* —6G **39**
Gladys Av. *Cowp* —3A **10**
Gladys Av. *Ports* —3H **41**
Glamis Clo. *Water* —1A **20**
Glamis Ct. *Fare* —2E **37**
Glamorgan Rd. *Water* —3B **6**
Glasgow Rd. *S'sea* —4H **51**
Glass Pool. *Water* —2A **6**
Glebe Clo. *Hay I* —2A **54**
Glebe Corner. *Wick* —2B **14**
Glebe Dri. *Gos* —4C **38**
Glebefield Gdns. *Ports* —3A **30**
Glebe Pk. Av. *Hav* —2A **32**
Glebe, The. *Fare* —4E **37**
Glenbrook Wlk. *Ports* —3E **25**
Glencoe Rd. *Ports* —6B **42**
Gleneagles Rd. *Water* —5B **10**
Glenelg. *Fare* —1H **25**
Glenesha Gdns. *Fare* —1F **25**
Glenleigh Av. *Ports* —4B **30**
Glenleigh Pk. *Hav* —1H **33**
Glen, The. *Gos* —4D **38**
Glenthorne Clo. *Fare* —4F **37**
Glenthorne Rd. *Ports* —4C **42**
Glenwood Gdns. *Water* —4H **9**
Glenwood Rd. *Ems* —2H **35**
Glidden Clo. *Ports* —2D **50**
Gloucester Ho. Gos —*3E 49*
 (off Holly St.)
Gloucester M. *S'sea*
 —3C **50** (5F **5**)
Gloucester Pl. *S'sea*
 —4C **50** (6F **5**)
Gloucester Rd. *Ports*
 —1A **50** (1B **4**)
Gloucester Rd. *Water* —3H **19**
Gloucester Ter. *S'sea*
 —4C **50** (6F **5**)
Gloucester Vw. *S'sea*
 —4C **50** (5F **5**)
Glyn Dri. *Fare* —3E **37**
Glyn Way. *Fare* —3E **37**
Godiva Lawn. *S'sea* —4A **52**
Godwin Clo. *Ems* —6C **22**
Godwin Cres. *Water* —1C **6**
Godwit Clo. *Gos* —5H **39**
Godwit Rd. *S'sea* —1A **52**
Gofton Av. *Ports* —4D **30**
Goldcrest Clo. *Fare* —3E **27**
Goldcrest Clo. *Water* —6A **6**
Goldfinch La. *Lee S* —6H **37**
Goldring Clo. *Hay I* —4C **54**
Goldsmith Av. *S'sea* —3E **51**
Gold St. *S'sea* —4B **50** (6E **5**)
Gomer Ct. *Gos* —4A **48**
Gomer La. *Gos* —3A **48**
Goodsell Clo. *Fare* —3D **36**
Goodwood Clo. *Gos* —5H **39**
Goodwood Clo. *Water*
 —6B **10**
Goodwood Ct. *Ems* —3H **35**
Goodwood Rd. *Gos* —5H **39**
Goodwood Rd. *S'sea* —4E **51**
Gordon Rd. *Fare* —2A **26**
Gordon Rd. *Gos* —3C **48**
Gordon Rd. *Ports* —4B **50**
Gordon Rd. *S'brne* —4F **35**
Gordon Rd. *Water* —3F **19**
Goring Av. *Water* —2H **7**
 (in three parts)
Gorley Ct. *Hav* —3D **20**
Gorran Av. *Gos* —4C **38**
Gorselands Way. *Gos* —5D **38**
Gorseway, The. *Hay I* —4H **53**
Gosport Ho. *Hav* —4H **21**
Gosport Rd. *Fare* —4B **26**
Gosport Rd. *Lee S* —2D **46**
Gosport Rd. *Stub* —3F **37**

Gothic Bldgs. *S'sea*
 —4D **50** (6H **5**)
Goyda Ho. *Gos* —1B **48**
Grafton St. *Ports* —6G **41**
Graham Rd. *Gos* —1C **48**
Graham Rd. *S'sea* —4E **51**
Granada Clo. *Water* —3A **10**
Granada Rd. *S'sea* —6E **51**
Grand Division Row. *S'sea*
 —4A **52**
Grand Pde. *Hay I* —5C **54**
Grand Pde. *Ports*
 —4A **50** (6B **4**)
Grange Clo. *Gos* —1B **48**
Grange Clo. *Hav* —1H **33**
Grange Cres. *Gos* —1B **48**
Grange La. *Gos* —5C **38**
 (in two parts)
Grange Rd. *Gos* —3H **47**
Grange Rd. *Ports* —4H **41**
Grant Rd. *Ports* —3F **31**
Granville Clo. *Hav* —2G **33**
Grasmere Ho. *Ports* —2F **29**
Grasmere Way. *Fare* —1F **37**
Grassmere Way. *Water* —5B **10**
Grateley Cres. *Hav* —5C **20**
Graton Clo. *Gos* —6A **40**
Grayland Clo. *Hay I* —3A **54**
Grays Clo. *Gos* —4A **48**
Grays Ct. *Ports* —3A **50** (5C **4**)
Grayshott Rd. *Gos* —3B **48**
Grayshott Rd. *S'sea* —3F **51**
Gt. Copse Dri. *Hav* —2E **21**
Greatfield Way. *Row C* —4H **11**
Gt. Gays. *Fare* —4C **36**
Gt. Mead. *Water* —4C **8**
Gt. Southsea St. *S'sea*
 —4C **50** (6F **5**)
Grebe Clo. *Ems* —5F **23**
Grebe Clo. *Fare* —3F **27**
Grebe Clo. *Water* —3G **9**
Greenacre Gdns. *Water* —5F **19**
Greenbanks Gdns. *Fare*
 —1D **26**
Green Cres. *Gos* —4C **38**
Greendale Clo. *Fare* —5F **13**
Greendale, The. *Fare* —5F **13**
Grn. Farm Gdns. *Ports* —1B **42**
Greenfield Cres. *Water* —2C **10**
Greenfield Ri. *Water* —4B **10**
Greenhaven Cvn. Pk. *Hay I*
 —6G **55**
Grn. Hollow Clo. *Fare* —5H **13**
Green La. *Clan* —1C **6**
Green La. *Gos* —5C **48**
 (Anglesey Rd., in three parts)
Green La. *Gos* —6H **39**
 (Grove Rd.)
Green La. *Hay I* —4A **54**
Green La. *Ports* —2B **42**
Green La. *Water* —2A **8**
Greenlea Clo. *Water* —1D **30**
Greenlea Gro. *Gos* —6F **39**
Green Link. *Lee S* —2D **46**
Grn. Pond Corner. *Hav* —2H **33**
Green Rd. *Fare* —1E **37**
Green Rd. *Gos* —5C **48**
Green Rd. *S'sea* —4C **50** (6F **5**)
Green, The. *Ports*
 —2A **50** (2B **4**)
Green, The. *Row C* —5H **11**
Green, The. *Water* —2A **8**
Green Wlk. *Fare* —6G **13**
Greenway Rd. *Gos* —1D **48**
Greenway, The. *Ems* —6D **22**
Greenwood Av. *Ports* —3H **29**
Greenwood Clo. *Fare* —5A **14**
Greetham St. *S'sea*
 —2C **50** (3G **5**)

Gregson Av. *Gos* —2C **38**
Gregson Clo. *Gos* —2C **38**
Grenfield Ct. *Ems* —6D **22**
Grenville Ho. *Ports* —3C **4**
Grenville Rd. *S'sea* —4E **51**
Grevillea Av. *Fare* —6A **12**
Greville Grn. *Ems* —5C **22**
Greyfriars Ct. *S'sea* —4C **50**
Greyfriars Rd. *Fare* —1E **25**
Greyshott Av. *Fare* —3E **25**
Greywell Rd. *Hav* —4F **21**
Greywell Shop. Cen. *Hav*
 —4F **21**
Greywell Sq. *Hav* —4F **21**
Griffin Wlk. *Gos* —1G **47**
Grindle Clo. *Fare* —2A **28**
Gritanwood Rd. *S'sea* —4H **51**
Grosvenor Ct. *Fare* —3F **37**
Grosvenor Ho. *S'sea*
 —3C **50** (5G **5**)
Grosvenor M. *Gos* —2E **49**
Grosvenor St. *S'sea*
 —3C **50** (4G **5**)
Grove Av. *Fare* —5A **28**
Grove Av. *Gos* —2E **49**
Grove Bldgs. *Gos* —3E **49**
Grove Ho. *S'sea*
 (Cottage Gro.) —4D **50** (6H **5**)
Grove Ho. *S'sea* —6G **5**
 (Elm Gro.)
Grove Rd. *Cosh* —4E **31**
Grove Rd. *Fare* —2A **26**
Grove Rd. *Gos* —1D **48**
Grove Rd. *Hav* —2F **33**
Grove Rd. *Lee S* —1C **46**
Grove Rd. N. *S'sea*
 —4D **50** (6G **5**)
Grove Rd. S. *S'sea*
 —5C **50** (6G **5**)
Grove, The. *Fare* —3D **36**
Grove, The. *Westb* —6F **23**
Gruneisen Rd. *Ports* —3G **41**
Guardhouse Rd. *Ports* —6F **41**
Guardroom Rd. *Ports* —4F **41**
Gudge Heath La. *Fare* —6F **13**
Guelders, The. *Water* —6G **19**
Guessens La. *Titch* —3B **24**
Guessens Path. *Titch* —3B **24**
Guildford Clo. *Ems* —2H **35**
Guildford Ct. *Gos* —2H **47**
Guildford Rd. *Ports* —1E **51**
 (in three parts)
Guildhall Sq. *Ports*
 —2C **50** (3F **5**)
Guildhall Wlk. *Ports*
 —3C **50** (4E **5**)
Guillemot Gdns. *Gos* —2B **38**
Gull Clo. *Gos* —3B **38**
Gun Ho. *Ports* —3B **50** (4E **5**)
Gunners Bldgs. Ind. Est. *Ports*
 —1B **42**
Gunners Row. *S'sea* —5H **51**
Gunners Way. *Gos* —5F **39**
Gunstore Rd. *Ports* —1C **42**
Gunwharf Quays. *Ports*
 —3H **49** (4A **4**)
Gunwharf Rd. *Ports*
 —3A **50** (5B **4**)
Gurnard Rd. *Ports* —4A **30**
Gurney Rd. *S'sea* —3H **51**
Gutner La. *Hay I* —4E **45**
Gwatkin Clo. *Hav* —6C **20**
Gypsy La. *Water* —2H **9**

***H**ackett Way. Fare* —*5A 26*
 (off Sharlands Rd.)
Haddon Clo. *Fare* —2G **25**
Hadleigh Rd. *Ports* —3H **29**

Haig Ct. *Ports* —2A **42**
Hale Ct. *Ports* —6A **42**
Halesowen Ho. *S'sea* —5F **5**
Hale St. N. *Ports* —1D **50**
Hale St. S. *Ports* —1D **50**
Half Moon St. *Ports*
 —2A **50** (2B **4**)
Halfpenny La. *Ports*
 —4A **50** (6C **4**)
Halifax Ri. *Water* —2H **19**
Hallett Rd. *Hav* —1H **33**
Halletts Clo. *Fare* —2E **37**
Halliards, The. *Fare* —4B **26**
Halliday Clo. *Gos* —2D **48**
Halliday Cres. *S'sea* —4A **52**
Hallowell Ho. *Ports* —1C **50**
Halsey Clo. *Gos* —4B **48**
Halstead Rd. *Ports* —3H **29**
Halyard Clo. *Gos* —6D **38**
Hamble Ct. *Fare* —2D **36**
Hambledon Pde. *Water* —5E **9**
Hambledon Rd. *Clan* —1E **7**
Hambledon Rd. *Den* —2B **8**
Hambledon Rd. *Water* —5E **9**
 (in three parts)
Hamble Ho. *Fare* —4A **26**
Hamble La. *Water* —4G **19**
Hamble Rd. *Gos* —3B **48**
Hambrook Rd. *Gos* —1C **48**
Hambrook St. *S'sea*
 —4B **50** (6E **5**)
Hamfield Dri. *Hay I* —3A **54**
Hamilton Clo. *Hav* —3F **33**
Hamilton Ct. *S'sea* —5C **50**
Hamilton Enterprise Cen. *Ports*
 —4G **31**
Hamilton Gro. *Gos* —3B **38**
Hamilton Ho. Ports —*1E 51*
 (off Clive Rd.)
Hamilton Rd. *Cosh* —3C **28**
Hamilton Rd. *S'sea* —5D **50**
Ham La. *Cath* —5A **6**
Ham La. *Gos* —5G **39**
Ham La. *Prin* —4H **35**
Hamlet Way. *Gos* —4F **39**
Hammond Ct. *Gos* —3G **49**
Hammond Ind. Pk. *Fare*
 —4F **37**
Hammond Rd. *Fare* —1F **25**
Hampage Grn. *Hav* —2D **20**
Hampshire St. *Ports* —6A **42**
Hampshire Ter. *Ports*
 —3B **50** (5E **5**)
Hampton Clo. *Water* —2A **20**
Hampton Gro. *Fare* —3D **24**
Hanbidge Cres. *Gos* —1D **38**
Hanbidge Wlk. *Gos* —1D **38**
Handley Rd. *Gos* —1B **48**
Handsworth Ho. *S'sea*
 —3D **50** (4H **5**)
Hannah Gdns. *Water* —1H **19**
Hannington Rd. *Hav* —2D **20**
Hanover Ct. *Ports*
 —4A **50** (5C **4**)
Hanover Gdns. *Fare* —6B **14**
Hanover Ho. *Gos* —6B **26**
Hanover St. *Ports*
 —2A **50** (2B **4**)
Hanway Rd. *Ports* —5A **42**
Ha'penny Dell. *Water* —6G **19**
Harbour Rd. *Gos* —2F **49**
Harbour Rd. *Hay I* —3G **53**
Harbourside. *Hav* —5F **33**
Harbour Tower. *Gos* —3G **49**
Harbour Vw. *Fare* —5A **28**
Harbour Way. *Ems* —3E **35**
Harbour Way. *Ports* —3G **41**
Harbridge Ct. *Hav* —2D **20**
Harcourt Clo. *Water* —3A **10**

Harcourt Rd.—Hollam Dri.

Harcourt Rd. *Fare* —4D **24**
Harcourt Rd. *Gos* —2C **48**
Harcourt Rd. *Ports* —6A **42**
Harding Rd. *Gos* —1B **48**
Hard Interchange, The. *Ports*
—2A **50** (3B **4**)
Hard, The. *Ports*
—2A **50** (2B **4**)
Hardy Rd. *Ports* —3G **31**
Harebell Clo. *Fare* —6C **14**
Harestock Rd. *Hav* —6D **20**
Harkness Dri. *Water* —1B **20**
Harlequin Gro. *Fare* —2H **25**
Harleston Rd. *Ports* —2H **29**
Harley Wlk. *Ports* —1D **50**
Harold Rd. *Ems* —5F **23**
Harold Rd. *Fare* —2F **37**
Harold Rd. *Hav* —5D **54**
Harold Rd. *S'sea* —4E **51**
Harrier Clo. *Lee S* —1D **46**
Harrier Clo. *Water* —6A **6**
Harriet Clo. *Fare* —3D **36**
Harrison Ho. *Ports* —3H **41**
Harrison Rd. *Fare* —1B **26**
Harris Rd. *Gos* —2D **38**
Harrow Rd. *S'sea* —3E **51**
Harry Sotnick Ho. *Ports*
—1F **51**
Hartford Ho. *Ports*
—4B **50** (6E **5**)
Harting Clo. *Water* —1D **6**
Harting Gdns. *Fare* —2A **28**
Hartington Rd. *Gos* —1B **48**
Hartland Ct. *Ems* —2H **35**
Hartland's Rd. *Fare* —2B **26**
Hartley Rd. *Ports* —4H **41**
Hart Plain Av. *Water* —3F **9**
(in two parts)
Harts Farm Way. *Hav* —3B **32**
Hartwell Rd. *Ports* —2D **42**
Hartwood Gdns. *Water* —5G **9**
Harvester Dri. *Fare* —2D **24**
Harvestgate Wlk. *Hav* —3D **20**
Harvest Rd. *Water* —2A **8**
Harvey Brown Ho. *Hay I*
—2C **54**
Harvey Rd. *Ports* —2A **30**
Harwich Rd. *Ports* —2H **29**
Harwood Clo. *Gos* —1C **38**
Harwood Rd. *Gos* —1C **38**
Haselworth Dri. *Gos* —6D **48**
Haslar Cres. *Water* —5E **9**
Haslar Jetty Rd. *Gos* —5F **49**
Haslar Rd. *Gos* —3G **49**
(in two parts)
Haslar Sea Wall. *Gos* —6F **49**
Haslar Ter. *Gos* —5F **49**
Haslemere Gdns. *Hay I* —5H **55**
Haslemere Rd. *Ems* —1H **35**
Haslemere Rd. *S'sea* —4F **51**
Hassocks, The. *Water* —2A **20**
Hastings Av. *Gos* —5F **39**
Hastings Ho. *Ports* —3G **41**
Hatch Ct. *Hav* —2C **20**
Hatfield Rd. *S'sea* —4G **51**
Hathaway Gdns. *Water* —6B **10**
Hatherley Cres. *Fare* —3G **27**
Hatherley Dri. *Fare* —3H **27**
Hatherley Rd. *Ports* —2E **29**
Havant Bus. Cen. *Hav* —3D **32**
Havant By-Pass. *Hav* —3C **32**
Havant By-Pass. *Ports & Hav*
—5C **30**
Havant Farm Clo. *Hav* —6F **21**
Havant Retail Pk. *Hav* —2B **32**
Havant Rd. *Cosh & Hav*
—3B **30**
Havant Rd. *Ems* —2A **34**
Havant Rd. *Hay I* —2B **44**

Havant Rd. *Horn & Row C*
—6D **6**
Havant Rd. *Ports* —4A **42**
Havant St. *Ports*
—2A **50** (2B **4**)
Havelock Mans. *S'sea* —3E **51**
Havelock Rd. *S'sea* —3D **50**
Haven Cres. *Fare* —4B **36**
Haven Rd. *Hay I* —6G **55**
Haven, The. *Gos* —5D **48**
Haven, The. *S'sea* —2H **51**
Havisham Rd. *Ports* —6H **41**
Hawk Clo. *Fare* —3D **36**
Hawke St. *Ports*
—2A **50** (2B **4**)
Hawkewood Av. *Water* —5F **9**
Hawkins Rd. *Gos* —3D **38**
Hawkley Clo. *Hav* —3E **21**
Hawkwell. *Fare* —2F **27**
Hawstead Grn. *Hav* —3D **20**
Hawthorn Clo. *Fare* —2H **27**
Hawthorn Cres. *Cosh* —5B **30**
Hawthorne Gro. *Hay I* —3C **54**
Hawthorne Rd. *Den* —3A **8**
Hawthorn Rd. *Horn* —3C **6**
Hawthorn Wlk. *Lee S* —1D **46**
Haydock M. *Water* —6B **10**
Hayes Clo. *Fare* —6F **13**
Hayes Ct. *S'sea* —4D **50**
Hayling Av. *Ports* —6C **42**
Hayling Billy Bus. Cen. *Hay I*
—3H **53**
Hayling Clo. *Fare* —3F **25**
Haywards Bus. Cen. *Hav*
—6H **21**
Haywards Ct. *Ports*
—3A **50** (5C **4**)
Hazel Ct. *S'sea* —3F **51**
Hazeldean Ct. *Row C* —6H **11**
Hazeldean Dri. *Row C* —6H **11**
Hazeley Grn. *Hav* —4H **21**
Hazel Gro. *Water* —2G **7**
Hazelholt Dri. *Hav* —6D **20**
Hazel Rd. *Water* —2G **7**
Hazelwood. *Fare* —6D **24**
Hazelwood Av. *Hav* —6B **20**
Hazleton Ind. Est. *Horn*
—1C **10**
Hazleton Way. *Water* —1B **10**
Headley Clo. *Lee S* —1D **46**
Heath Clo. *Water* —6B **6**
Heathcote Rd. *Ports* —4B **42**
Heather Clo. *Gos* —3B **38**
Heather Clo. *Water* —3H **19**
Heather Gdns. *Fare* —6F **13**
Heatherley Ct. *S'sea* —4D **50**
Heathfield Av. *Fare* —2F **25**
Heathfield Rd. *Ports* —5H **41**
Heath La. *Titch* —4A **24**
Heath Lawns. *Fare* —2F **25**
Heath, The. *Den* —3C **8**
Heaton Rd. *Gos* —6F **39**
Hebrides Clo. *Fare* —2D **36**
Heckfield Clo. *Hav* —4H **21**
Hector Clo. *Water* —1G **31**
Hector Rd. *Fare* —5A **26**
Hedge End Wlk. *Hav* —3A **22**
Hedgerow Gdns. *Ems* —6D **22**
Heidelberg Rd. *S'sea* —3F **51**
Heights, The. *Fare* —1D **26**
Helena Rd. *S'sea* —5F **51**
Hellyer Rd. *S'sea* —4G **51**
Helsby Clo. *Fare* —3G **25**
Helsted Clo. *Gos* —3A **48**
Helston Dri. *Ems* —6C **22**
Helston Rd. *Ports* —2D **28**
Hemlock Rd. *Water* —3G **9**
Hempsted Path. *Ports* —2F **29**

Hempsted Rd. *Ports* —2F **29**
Hemsley Wlk. *Water* —3A **10**
Henderson Pk. Mobile Homes.
S'sea —4A **52**
Henderson Rd. *S'sea* —4H **51**
Hendy Clo. *S'sea*
—4C **50** (6G **5**)
Henley Gdns. *Fare* —5F **13**
Henley Rd. *S'sea* —5F **51**
Henry Cort Dri. *Fare* —6E **13**
Henry St. *Gos* —3E **49**
Henville Clo. *Gos* —5D **38**
Herbert Rd. *Gos* —2B **48**
Herbert Rd. *S'sea* —5E **51**
Herbert St. *Ports* —6G **41**
Hercules St. *Ports* —5H **41**
Hereford Ct. *Gos* —1G **47**
Hereford Ct. S'sea —4D **50**
(off Hereford Rd.)
Hereford Rd. *S'sea* —4D **50**
Heritage Gdns. *Fare* —4G **27**
Hermes Rd. *Lee S* —6F **37**
Hermitage Clo. *Hav* —5E **21**
Hermitage Gdns. *Water*
—1H **19**
Herne Rd. *Ports* —3A **30**
Heron Clo. *S'sea* —2H **51**
Heron Quay. *Ems* —4E **35**
Herons Clo. *Fare* —1E **37**
Herons Ct. *Hay I* —2D **54**
Heron Way. *Gos* —2B **38**
Herriot Ho. *Water* —4A **10**
Herriott Clo. *Water* —2A **10**
Hertford Pl. *Ports* —6H **41**
Hester Rd. *S'sea* —3H **51**
Heston Wlk. *Gos* —4A **48**
Hewett Clo. *Fare* —4B **24**
Hewett Ho. *Titch* —4B **24**
Hewett Rd. *Fare* —4B **24**
Hewett Rd. *Ports* —3A **42**
Hewitt Clo. *Gos* —1C **48**
Hewlett Ct. *Fare* —2C **26**
Heyshott Gdns. *Water* —1D **6**
Heyshott Rd. *S'sea* —3F **51**
Heyward Rd. *S'sea* —4E **51**
Heywood Gdns. *Hav* —3D **20**
Hickley Path. *Fare* —1C **26**
Highbank Av. *Water* —6D **18**
Highbury Bldgs. *Ports* —5B **30**
Highbury Gro. *Ports* —5B **30**
Highbury St. *Ports*
—3A **50** (5C **4**)
Highbury Way. *Ports* —5B **30**
Highclere Av. *Hav* —5D **20**
Highcliffe Rd. *Gos* —3B **48**
High Ct. *S'sea* —4G **51**
Highcroft Ind. Est. *Water*
—5C **6**
Highcroft La. *Water* —5C **6**
High Dri. *Gos* —4C **38**
Highfield Av. *Fare* —3H **25**
Highfield Av. *Water* —6H **9**
Highfield Clo. *Water* —6H **9**
Highfield Pde. *Water* —6A **10**
Highfield Rd. *Gos* —1B **48**
Highfield Rd. *Ports*
—2D **50** (2H **5**)
Highgate Rd. *Ports* —4C **42**
Highgrove Ind. Pk. *Ports*
—2D **42**
Highgrove Rd. *Ports* —5D **42**
Highland Clo. *Ems* —3C **34**
Highland Rd. *Ems* —2C **34**
Highland Rd. *S'sea* —5F **51**
Highlands Pk. *Fare* —6G **13**
Highlands Rd. *Cosh* —3F **31**
Highlands Rd. *Fare* —3D **24**
Highland St. *S'sea* —5G **51**
Highland Ter. *S'sea* —4F **51**

High Lawn Way. *Hav* —4E **21**
High Mead. *Fare* —6G **13**
High St. *Cosh* —4B **30**
High St. *Ems* —3D **34**
High St. *Fare* —2C **26**
High St. *Gos* —3F **49**
High St. *Lee S* —1C **46**
High St. *Ports* —4A **50** (6B **4**)
High St. *S'wick* —3D **16**
High St. *Titch* —3B **24**
Hightrees. *Water* —1H **19**
High Vw. *Fare* —2A **28**
High Wlk. *Fare* —6G **13**
Highwood Lawn. *Hav* —2D **20**
Highwood Rd. *Gos* —6C **38**
Higworth Cvn. Pk. *Hay I*
—2B **54**
Higworth La. *Hay I* —2B **54**
Hilary Av. *Ports* —4C **30**
Hilary Ct. *Gos* —1H **47**
Hilda Gdns. *Water* —3C **8**
Hillary Clo. *Fare* —1H **25**
Hillborough Ct. *S'sea* —4D **50**
Hillborough Cres. *S'sea*
—4D **50**
Hillbrow Clo. *Fare* —6F **13**
Hill Brow Clo. *Row C* —6H **11**
Hill Cft. *Fare* —6A **12**
Hilldowns Av. *Ports* —3G **41**
Hill Dri. *Fare* —6F **13**
Hiller Wlk. *Lee S* —1D **46**
Hill Head Rd. *Fare* —4C **36**
Hillmead Gdns. *Hav* —1B **32**
Hill Pk. Rd. *Fare* —5F **13**
Hill Pk. Rd. *Gos* —1B **48**
Hill Rd. *Fare* —2B **28**
Hillside Av. *Water* —1D **30**
Hillside Clo. *Water* —2C **6**
Hillside Cres. *Ports* —2D **28**
Hillside Ind. Est. *Horn* —5C **6**
Hillsley Rd. *Ports* —1D **28**
Hillson Dri. *Fare* —6E **13**
Hillson Ho. *Fare* —6F **13**
Hilltop Cres. *Ports* —1E **31**
Hilltop Gdns. *Horn* —2D **6**
Hilltop Rd. *S'wick* —1E **29**
Hillview. *Water* —2C **10**
Hill Vw. Rd. *Fare* —2A **28**
Hill Wlk. *Fare* —6F **13**
Hillway, The. *Fare* —3A **28**
Hilsea Cres. *Ports* —6A **30**
Hilsea Mkt. *Ports* —6A **30**
Hiltingbury Rd. *Hav* —4G **21**
Hilton Rd. *Gos* —4B **48**
Hinton Clo. *Hav* —5C **20**
Hinton Mnr. La. *Love* —2A **6**
Hipley Rd. *Hav* —6D **22**
Hither Grn. *S'brne* —1H **35**
Hitherwood Clo. *Water* —6B **10**
HMS Daedalus Cvn. Pk. *Gos*
—2G **47**
Hobbs Pas. *Gos* —3G **49**
Hobby Clo. *Ports* —1C **42**
Hockham Ct. *Hav* —2C **20**
Hockley Clo. *Ports* —3H **29**
Hockley Path. *Ports* —3A **30**
Hodges Clo. *Hav* —6G **21**
Hoeford Clo. *Fare* —5B **26**
Hoe, The. *Gos* —4D **38**
Holbeach Clo. *Ports* —2A **30**
Holbrook Rd. *Fare* —3B **26**
Holbrook Rd. *Ports* —1D **50**
Holbury Ct. *Hav* —4H **21**
Holcot La. *Ports* —1E **43**
Holdenby Ct. *Ports* —6E **31**
Holdenhurst Clo. *Water* —4C **6**
Hollam Clo. *Fare* —3D **24**
Hollam Cres. *Fare* —3D **24**
Hollam Dri. *Fare* —3D **24**

Hollam Rd. *S'sea* —2H **51**
Holland Pl. *Gos* —3D **38**
Holland Rd. *S'sea* —3E **51**
Hollow La. *Hay I* —4B **54**
Hollybank. *Lee S* —2D **46**
Hollybank Clo. *Water* —2C **10**
Hollybank La. *Ems* —5D **22**
Holly Dri. *Water* —3A **20**
Holly Gro. *Fare* —5G **13**
Holly St. *Gos* —3E **49**
Hollywell Dri. *Port S* —4F **29**
Holman Clo. *Water* —5A **10**
Holmbush Ct. *S'sea* —4C **50**
Holmdale Rd. *Gos* —6F **39**
Holmefield Av. *Fare* —5H **25**
Holne Ct. *S'sea* —4A **52**
Holst Way. *Water* —4G **19**
Holt Clo. *Wick* —1A **14**
Holt Gdns. *Row C* —4H **11**
Holybourne Rd. *Hav* —6F **21**
Holyrood Clo. *Water* —2A **20**
Homefayre Ho. *Fare* —2B **26**
Homefield Path. *Ports* —4E **31**
Homefield Rd. *Ems* —5F **23**
Homefield Rd. *Ports* —4E **31**
Homefield Way. *Water* —1F **7**
Homefort Ho. *Gos* —3D **48**
 (off Stoke Rd.)
Homegrove Ho. *S'sea*
  —4D **50** (6H **5**)
Homeheights. *S'sea* —5C **50**
Home Mead. *Water* —4B **8**
Homer Clo. *Gos* —5B **48**
Homer Clo. *Water* —5G **9**
Homerose Ho. *S'sea*
  —3C **50** (5G **5**)
Homeryde Ho. *Lee S* —2C **46**
Homesea Ho. *S'sea*
  —4C **50** (5G **5**)
Homewell. *Hav* —2F **33**
Honey La. *Fare* —4F **13**
Honeysuckle Clo. *Gos* —2B **38**
Honeysuckle Ct. *Water* —4H **19**
Honeywood Clo. *Ports* —1B **42**
Hook's Farm Way. *Hav* —6D **20**
Hook's La. *Hav* —6C **20**
 (in two parts)
Hope St. *Ports* —1C **50**
Hopfield Clo. *Water* —2G **19**
Hopfield M. *Water* —3G **19**
Hopkins Clo. *Ports* —3C **28**
Hopkins Ct. *S'sea* —5H **51**
Hordle Rd. *Hav* —5B **20**
Hornbeam Rd. *Hav* —6H **21**
Horndean Cvn. Site. *Horn*
  —4C **6**
Horndean Ho. *Ports*
  —1D **50** (1H **5**)
Horndean Precinct. *Horn*
  —6D **6**
Horndean Rd. *Ems* —4B **22**
Hornet Clo. *Fare* —1F **25**
Hornet Clo. *Gos* —4E **49**
Hornetide Ho. *Lee S* —2C **46**
Hornet Rd. *Fare* —6H **25**
Horsea La. *Ports* —1H **41**
Horsea Rd. *Ports* —1A **42**
Horse Sands Clo. *S'sea*
  —4B **52**
Horton Rd. *Gos* —1C **38**
Hoskins Ho. *Ports* —1D **4**
Hospital La. *Fare* —5C **28**
Houghton Clo. *Hav* —3H **21**
House Farm Rd. *Gos* —3A **48**
Hove Ct. *Lee S* —1C **46**
Howard Lodge. *S'sea* —5C **50**
Howard Rd. *Ports* —1A **42**
Howe Rd. *Gos* —1G **47**
Hoylake Clo. *Gos* —4C **38**

Hoylake Rd. *Ports* —2E **31**
Hoylecroft Clo. *Fare* —6G **13**
Hudson Clo. *Gos* —1G **47**
Hudson Rd. *S'sea*
  —3D **50** (5H **5**)
Hulbert Rd. *Water & Hav*
 (in three parts) —1G **19**
Humber Clo. *Fare* —2D **36**
Hundred, The. *Water* —6F **9**
Hunter Clo. *Gos* —6D **38**
Hunter Rd. *Ports* —2B **30**
Hunter Rd. *S'sea* —4F **51**
Hunters Lodge. *Fare* —2D **24**
Hunters Ride. *Water* —3G **19**
Huntley Clo. *Ports* —2F **29**
Huntsman Clo. *Water* —2H **9**
Hurn Ct. *Hav* —3H **21**
Hursley Rd. *Hav* —4D **20**
Hurstbourne Clo. *Hav* —3D **20**
Hurst Clo. *Fare* —4C **36**
Hurst Grn. *Gos* —3B **38**
Hurst Grn. *Gos* —5B **10**
Hurstville Dri. *Water* —3H **19**
 (in two parts)
Hurstwood Av. *Ems* —2H **35**
Hussar Ct. *Water* —6E **9**
Hutfield Clo. *Gos* —2D **48**
 (off Lees La.)
Hyde Pk. Ho. *S'sea*
  —3C **50** (4G **5**)
Hyde Pk. Rd. *S'sea*
  —3C **50** (4G **5**)
Hyde St. *S'sea* —4C **50** (6F **5**)
Hythe Rd. *Ports* —2A **30**

Ian Gibson Ct. *S'sea* —2D **50**
 (off Carlisle Rd.)
Ibsley Gro. *Hav* —6D **20**
Icarus Pl. *Water* —1H **31**
Idsworth Clo. *Horn* —1E **11**
Idsworth Ho. *Ports* —1G **5**
Idsworth Rd. *Cowp* —5B **10**
Idsworth Rd. *Ports* —5C **42**
Iford Ct. *Hav* —3H **21**
Ilex Wlk. *Hay I* —4E **55**
Implacable Rd. *Lee S* —6F **37**
Ingledene Clo. *Gos* —3D **48**
Ingledene Clo. *Hav* —1D **32**
Ingleside Clo. *Fare* —3D **24**
Inglis Rd. *S'sea* —4E **51**
Inhams La. *Water* —3A **8**
Inhurst Av. *Water* —6A **10**
Inhurst Rd. *Ports* —3A **42**
Inkpen Wlk. *Hav* —2D **20**
Inner Relief Rd. *Water* —1F **19**
Invergordon Av. *Ports* —4D **30**
Inverkip Clo. *Lee S* —6G **37**
Inverness Av. *Fare* —6G **13**
Inverness Rd. *Gos* —1C **48**
Inverness Rd. *Ports* —6A **42**
Iping Av. *Hav* —4E **21**
Ireland Way. *Water* —4G **19**
Ironbridge La. *S'sea* —3A **52**
Iron Mill Clo. *Fare* —6F **13**
Ironmill La. *Titch* —4D **12**
Irvine Clo. *Fare* —6A **14**
Irwin Heights. *Gos* —5G **39**
Isambard Brunel Rd. *Ports*
  —2C **50** (3F **5**)
Island Clo. *Hay I* —2B **44**
Island Vw. Ter. *Ports* —4G **41**
Island Vw. Wlk. *Fare* —2A **28**
Islay Gdns. *Ports* —2B **30**
Itchenor Rd. *S'sea* —5H **55**
Itchen Rd. *Hav* —3H **21**
Ithica Clo. *Hay I* —3C **54**
Ivy Ct. *Water* —5F **19**
Ivydene Gdns. *Water* —3A **10**

Ivy Ho. *Gos* —3E **49**
Ivy La. *Navy* —1A **50**
Ivy Orchard. *Water* —1F **7**

Jacaranda Clo. *Fare* —5A **12**
Jack Cockerill Way. *S'sea*
  —6D **50**
Jackdaw Clo. *Cowp* —3G **9**
Jackson Clo. *Ports* —4E **31**
Jacobs Clo. *Water* —2G **7**
Jacob's St. *Ports*
  —1C **50** (1G **5**)
Jacomb Pl. *Gos* —3D **38**
Jacqueline Av. *Water* —5F **19**
Jade Ct. *Gos* —1G **47**
Jago Rd. *Ports* —1H **49** (1A **4**)
Jamaica Rd. *Gos* —3E **49**
Jamaica Rd. *Gos* —2F **49**
James Butcher Ct. *S'sea*
  —6D **50**
 (off Eastern Villas Rd.)
James Callaghan Dri. *Fare*
  —1D **28**
James Clo. *Gos* —1C **38**
James Clo. *Hay I* —3A **54**
James Copse Rd. *Water*
  —2H **9**
James Howell Ct. *Water*
  —3B **8**
James Rd. *Gos* —1C **38**
James Rd. *Hav* —1E **33**
Japonica Way. *Hav* —6A **22**
Jarndyce Wlk. *Ports* —6H **41**
Jasmine Ct. *Gos* —1G **47**
Jasmine Gro. *Water* —3A **20**
Jasmine Wlk. *Fare* —3G **25**
Jasmine Way. *Water* —2G **7**
Jasmond Rd. *Ports* —5B **30**
Jason Pl. *Water* —1G **31**
Jason Way. *Gos* —5F **39**
Jay Clo. *Fare* —6D **24**
Jay Clo. *Water* —6A **6**
Jellicoe Av. *Gos* —5B **48**
Jellicoe Ho. *Ports* —1H **5**
Jellicoe Way. *Ports* —4F **41**
Jenkins Gro. *Ports* —6D **42**
Jenner Rd. *Ports* —2B **30**
Jerram Clo. *Gos* —4B **48**
Jersey Clo. *Fare* —4F **37**
Jersey Rd. *Ports* —5A **42**
Jervis Dri. *Gos* —1D **48**
Jervis Rd. *Ports* —3G **41**
Jessica Clo. *Water* —6B **10**
Jessie Rd. *Gos* —3C **48**
Jessie Rd. *Hav* —6C **20**
Jessie Rd. *S'sea* —3E **51**
Jodrell Clo. *Water* —6C **6**
John Marshall Ct. *Ports*
  —5H **41**
John Pounds Cen. *Ports*
  —2B **50** (2D **4**)
Johnson Vw. *White* —3A **12**
Johns Rd. *Fare* —4B **26**
Jonathan Rd. *Fare* —2G **25**
Joseph Nye Ct. *Ports* —3C **4**
Joseph St. *Gos* —3E **49**
Jubilee Ct. *Fare* —4A **26**
Jubilee Ho. *Ems* —2B **34**
Jubilee Path. *Hav* —2D **32**
Jubilee Rd. *Fare* —3B **28**
Jubilee Rd. *Gos* —2D **48**
Jubilee Rd. *S'sea* —4F **51**
Jubilee Rd. *Water* —6F **9**
Jubilee Ter. *S'sea*
  —4B **50** (6E **5**)

Julie Av. *Fare* —2G **25**
Juliet Ct. *Water* —1A **20**
Juniper Rd. *Water* —4C **6**
Juniper Sq. *Hav* —3F **33**
Jura Clo. *Ports* —2C **30**
Justin Clo. *Fare* —3G **25**
Jute Clo. *Fare* —2H **27**
Juventu Clo. *Hav* —5G **21**

Karen Av. *Ports* —5E **31**
Kassassin St. *S'sea* —5G **51**
Kassel Clo. *Water* —1B **30**
Katrina Gdns. *Hay I* —2C **54**
Kealy Rd. *Gos* —1C **48**
Kearsney Av. *Ports* —2A **42**
Keast Wlk. *Gos* —1D **38**
Keats Av. *Ports* —2C **28**
Keats Clo. *Water* —3H **9**
Keats Ho. *Hav* —5E **21**
Keelan Ct. *S'sea* —5D **50**
Keel Clo. *Gos* —6D **38**
Keel Clo. *Ports* —2E **43**
Keep, The. *Fare* —3B **28**
Kefford Clo. *Water* —1B **10**
Keith Clo. *Gos* —1D **48**
Keith Ho. *Ports* —2C **4**
Kelly Ct. *Fare* —1B **26**
Kelly Ct. *S'sea* —4E **51**
Kelly Rd. *Water* —4G **19**
Kelsey Av. *Ems* —2H **35**
Kelsey Head. *Port S* —4E **29**
Kelvin Gro. *Fare* —3B **28**
Kempenfelt Ho. *Ports* —2C **4**
Kempton Pk. *Water* —6B **10**
Kemshott Ct. *Hav* —2D **20**
Ken Berry Ct. *Hav* —3H **21**
Kench, The. *Hay I* —3D **52**
Kendal Av. *Ports* —4C **42**
Kendal Clo. *Water* —3A **10**
Kenilworth Clo. *Lee S* —6H **37**
Kenilworth Rd. *S'sea* —6D **50**
Kennedy Av. *Fare* —6G **13**
Kennedy Clo. *Water* —5F **19**
Kennedy Cres. *Gos* —5A **48**
Kennet Clo. *Gos* —6D **48**
Kensington Rd. *Gos* —4E **49**
Kensington Rd. *Ports* —3B **42**
Kent Gro. *Fare* —5A **28**
Kentidge Rd. *Water* —4F **19**
Kent Rd. *Gos* —1B **38**
Kent Rd. *S'sea* —4B **50**
Kent St. *Ports* —2A **50** (3C **4**)
Kenwood Rd. *Fare* —5B **28**
Kenya Rd. *Fare* —4H **27**
Kenyon Rd. *Ports* —3B **42**
Kestrel Clo. *Fare* —1D **36**
Kestrel Clo. *Water* —1C **6**
Kestrel Pl. *Ports* —4H **31**
Keswick Av. *Ports* —5C **42**
Kettering Ter. *Ports* —5G **41**
Keydell Av. *Water* —2A **10**
Keydell Clo. *Water* —2A **10**
Keyes Clo. *Gos* —2C **38**
Keyes Ct. *S'sea* —5D **50**
 (off Albert Rd.)
Keyes Rd. *Gos* —2C **38**
Keyhaven Clo. *Gos* —3A **38**
Keyhaven Dri. *Hav* —4C **20**
Khandala Gdns. *Water* —5H **19**
Kidmore La. *Water* —1B **8**
Kielder Gro. *Gos* —3D **38**
Kilmeston Clo. *Hav* —3F **21**
Kilmiston Clo. *Ports* —6A **42**
Kilmiston Dri. *Fare* —2A **28**
Kiln Acre. Ind. Site. *Fare*
  —6B **14**
Kiln Rd. *Fare* —5H **13**

Kiln Rd. *Ports* —4C **42**
Kilnside. *Water* —4B **8**
Kilpatrick Clo. *Ports* —5H **41**
Kilwich Way. *Fare* —5H **27**
Kimberley Rd. *S'sea* —5G **51**
Kimbolton Rd. *Ports* —1G **51**
Kimbridge Cres. *Hav* —3G **21**
Kimpton Clo. *Lee S* —1D **46**
Kimpton Ct. *Hav* —3H **21**
King Albert Ct. *Ports* —1E **51**
King Albert St. *Ports* —1D **50**
King Arthur's Ct. *Ports* —3F **31**
King Charles St. *Ports*
    —3A **50** (5B **4**)
King Edward's Cres. *Ports*
    —3H **41**
Kingfisher Cvn. Pk. *Gos*
    —4G **47**
Kingfisher Clo. *Hay I* —5E **55**
Kingfisher Clo. *Row C* —6H **11**
Kingfisher Clo. *Water* —3G **9**
Kingfisher Ct. *Hav* —6H **21**
Kingfisher Dri. *Ems* —5F **23**
Kingfishers. *Fare* —3F **27**
King George Rd. *Fare* —4A **28**
King Henry Building. *Ports*
    —2B **50** (3E **5**)
King Henry I St. *Ports*
    —2B **50** (3E **5**)
King James Ter. *Ports* —6B **4**
King John Av. *Fare* —4H **27**
King Richard Clo. *Ports*
    —3H **29**
King Richard I Rd. *Ports*
    —2B **50** (3E **5**)
Kings Bench All. *Ports*
    —2A **50** (2C **4**)
Kingsclere Av. *Hav* —3D **20**
Kings Clo. *Row C* —5G **11**
Kingscote Rd. *Cosh* —1D **28**
Kingscote Rd. *Cowp* —4F **9**
Kingscroft Ct. *Hav* —2D **32**
Kingsdown Pl. *Ports* —2E **51**
Kingsdown Rd. *Water* —5E **9**
Kingsey Av. *Ems* —3C **34**
Kingsland Clo. *Ports* —2G **29**
Kingsley Grn. *Hav* —3E **21**
Kingsley Ho. *Ems* —3C **34**
Kingsley Rd. *Gos* —6F **39**
Kingsley Rd. *S'sea* —4H **51**
Kingsmead Av. *Fare* —4F **37**
Kings Mede. *Water* —2A **10**
Kingsmill Clo. *Gos* —4B **48**
King's Rd. *Cowp* —4H **9**
King's Rd. *Ems* —3C **34**
King's Rd. *Fare* —2B **26**
King's Rd. *Gos* —3D **48**
Kings Rd. *Hay I* —1C **54**
King's Rd. *Lee S* —6G **37**
King's Rd. *S'sea* —4B **50** (6E **5**)
King's Ter. *Ems* —3C **34**
King's Ter. *S'sea* —4B **50** (6E **5**)
Kingston Cres. *Ports* —5H **41**
Kingston Gdns. *Fare* —5F **13**
Kingston Rd. *Gos* —2B **48**
Kingston Rd. *Ports* —5H **41**
King St. *Ems* —3E **35**
King St. *Gos* —2F **49**
King St. *S'sea* —3B **50** (5E **5**)
   (in two parts)
King St. *Westb* —6F **23**
Kingsway. *Hay I* —2C **44**
Kings Way. *Row C* —6G **11**
Kingsway, The. *Fare* —3A **28**
Kingswell Path. *Ports*
    —1C **50** (1F **5**)
Kingswell St. *Ports*
    —2C **50** (2F **5**)

Kingsworthy Rd. *Hav* —6F **21**
King William St. *Ports*
    —1A **50** (1C **4**)
Kinnell Clo. *Ems* —3D **34**
Kinross Cres. *Ports* —4D **30**
Kintyre Rd. *Ports* —2B **30**
Kipling Rd. *Ports* —2A **42**
Kirby Rd. *Ports* —3A **42**
Kirkstall Rd. *S'sea* —6E **51**
Kirtley Clo. *Ports* —5E **31**
Kirton Rd. *Ports* —4E **31**
Kite Clo. *Water* —3G **9**
Kittiwake Clo. *Gos* —3B **38**
Kitwood Grn. *Hav* —4H **21**
Kneller Ct. *Fare* —5H **13**
Knights Bank Rd. *Fare* —4B **36**
Knightstone Ct. *Ports* —1B **42**
Knightwood Av. *Hav* —4G **21**
Knollys Ho. *Ports* —1E **51**
Knowsley Cres. *Ports* —4C **30**
Knowsley Rd. *Ports* —4B **30**
Knox Rd. *Hav* —2D **32**
Knox Rd. *Ports* —4G **41**
Kynon Clo. *Gos* —5A **40**

Laburnum Av. *Cosh* —4E **31**
Laburnum Gro. *Hay I* —3D **54**
Laburnum Gro. *Ports* —4A **42**
Laburnum Path. *Ports* —3E **31**
Laburnum Rd. *Fare* —4B **26**
Laburnum Rd. *Water* —3F **19**
Ladram Rd. *Gos* —3A **48**
Lady Betty's Dri. *Fare* —3A **12**
Ladybridge Rd. *Water* —5E **19**
Ladywood Ho. *S'sea*
    —3C **50** (4G **5**)
Lake Rd. *Ports* —1C **50** (1G **5**)
Lakeside. *Fare* —4G **13**
Lakeside. *Lee S* —3D **46**
Lakeside Av. *Ports* —6D **42**
Lakeside Ct. *S'sea* —5F **51**
Lakeside Gdns. *Hav* —1F **33**
Lakeside Holiday Village. *Hay I*
    —5F **55**
Lakesmere Rd. *Horn* —1C **10**
Lambert Clo. *Water* —4G **19**
Lambourn Clo. *Fare* —3F **25**
Lampeter Av. *Ports* —3D **30**
Lancaster Clo. *Fare* —2H **27**
Lancaster Clo. *Lee S* —3F **47**
Lancaster Way. *Water* —3H **19**
Landguard Rd. *S'sea* —4G **51**
Landon Ct. *Gos* —5C **48**
Landon Rd. *Gos* —5D **38**
Landport St. *Ports*
    —1D **50** (1H **5**)
Landport St. *S'sea*
    —3B **50** (5E **5**)
Landport Ter. *Ports*
    —3B **50** (5E **5**)
Landport Vw. *Ports*
    —1C **50** (1G **5**)
La. End Dri. *Ems* —3D **34**
Lanes End. *Fare* —3E **37**
Lane, The. *Gos* —6C **48**
Lane, The. *S'sea* —5F **51**
Langbrook Clo. *Hav* —3F **33**
Langdale Av. *Ports* —4D **30**
Langford Rd. *Ports* —6B **42**
Langley Rd. *Ports* —5A **42**
Langrish Clo. *Hav* —3G **21**
Langstone Av. *Hav* —4F **33**
Langstone Bri. *Hav & Hay I*
    —6G **33**
Langstone High St. *Hav*
    —5F **33**
Langstone Ho. *Fare* —4A **26**
Langstone Ho. *Hav* —6G **21**

Langstone Marina Heights.
    S'sea —4B **52**
Langstone Rd. *Hav* —3F **33**
Langstone Rd. *Ports* —1G **51**
Langstone Wlk. *Fare* —3F **25**
Langstone Wlk. *Gos* —3B **38**
Lansdowne Av. *Fare* —5B **28**
Lansdowne Av. *Water* —6D **18**
Lansdowne Ho. *Gos* —1C **48**
Lansdowne St. *S'sea*
    —3B **50** (5E **5**)
Lansdown Ter. *Ems* —4F **23**
Lantana Clo. *Water* —3H **19**
Lanyard Dri. *Gos* —1H **47**
Lapthorn Clo. *Gos* —1B **38**
Lapwing Clo. *Gos* —6H **39**
Lapwing Clo. *Water* —6B **6**
Lapwing Gro. *Fare* —3F **27**
Lapwing Rd. *S'sea* —2A **52**
Larch Clo. *Lee S* —2E **47**
Larch Ct. *Ports* —1D **50**
Larches Gdns. *Fare* —2E **25**
Larchfield Way. *Water* —2C **10**
Larchwood Av. *Hav* —5B **20**
Larkhill Rd. *Ports* —1B **42**
Larkwhistle Wlk. *Hav* —2C **20**
Lasham Grn. Hav —4H **21**
   (off Newnham Ct.)
Lasham Wlk. *Fare* —3F **25**
Latchmore Forest Gro. *Water*
    —4A **10**
Latchmore Gdns. *Water* —4G **9**
Latimer Ct. *Ports* —1D **42**
Lauder Clo. *Ems* —1H **35**
Launceston Clo. *Gos* —6A **40**
Laurel Clo. *Gos* —6A **40**
Laurel Rd. *Water* —3C **10**
Laurence Grn. *Ems* —5D **22**
Laurus Clo. *Water* —4A **20**
Laurus Wlk. *Lee S* —1D **46**
Lavant Clo. *Water* —6B **10**
Lavant Dri. *Hav* —6G **21**
Lavender Rd. *Water* —3A **20**
Laverock Lea. *Fare* —2A **28**
Lavey's La. *Fare* —3C **12**
Lavinia Rd. *Gos* —2D **48**
Lawn Clo. *Gos* —5D **38**
Lawnswood Clo. *Water* —5H **9**
Lawrence Av. *Water* —5G **9**
Lawrence Mans. *S'sea* —4E **51**
Lawrence Rd. *Fare* —1H **25**
Lawrence Rd. *S'sea* —4E **51**
Lawrence Sq. Gos —3F **49**
   (off Walpole Rd.)
Lawrence Wlk. *Gos* —1H **47**
Lawson Rd. *S'sea* —3E **51**
Layton Rd. *Gos* —2C **38**
Lazy Acre. *Ems* —3H **35**
Leafy La. *White* —3A **12**
Lealand Gro. *Ports* —3F **31**
Lealand Rd. *Ports* —4F **31**
Leamington Cres. *Lee S*
    —6H **37**
Leamington Ho. *S'sea*
    —3C **50** (4F **5**)
Leander Dri. *Gos* —6A **40**
Lea-Oak Gdns. *Fare* —6F **13**
Lear Rd. *Gos* —2D **48**
Leaway, The. *Fare* —3B **28**
Lechlade Gdns. *Fare* —5G **13**
Leckford Clo. *Fare* —1A **28**
Leckford Rd. *Hav* —3G **21**
Ledbury Rd. *Ports* —2G **29**
Lederle La. *Gos* —6C **26**
Leep La. *Gos* —5D **48**
Lee Rd. *Gos* —1C **48**
Leesland Rd. *Gos* —2C **48**
Lees La. *Gos* —2D **48**
Lees La. N. *Gos* —2D **48**

Legion Rd. *Hay I* —3C **54**
Leicester Ct. *Gos* —2H **47**
Leigh Pk. Shop. Cen. Hav
   (off Greywell Sq.) —4F **21**
Leigh Rd. *Fare* —1A **26**
Leigh Rd. *Hav* —1F **33**
Leisure, The. *Gos* —1D **38**
Leith Av. *Fare* —2B **28**
Lendorber Av. *Ports* —3C **30**
Lennox Clo. *Gos* —6E **49**
Lennox Ct. S'sea —5D **50**
   (off Lennox Rd. N.)
Lennox Rd. N. *S'sea* —5D **50**
Lennox Rd. S. *S'sea* —5D **50**
Lennox Row. *Ports*
    —1A **50** (1C **4**)
Lensyd Gdns. *Water* —1H **9**
Leofric Ct. *S'sea* —4A **52**
Leominster Rd. *Ports* —2F **29**
Leonard Rd. *Gos* —2E **49**
Leopold St. *S'sea* —5E **51**
Lerryn Rd. *Gos* —3D **38**
Lester Av. *Hav* —1C **32**
Lester Rd. *Gos* —2B **48**
Leventhorpe Ct. *Gos* —3E **49**
Leveson Clo. *Gos* —4B **48**
Leviathan Clo. *Fare* —3F **37**
Lewis Rd. *Ems* —6E **23**
Lexden Gdns. *Hay I* —3A **54**
Leyland Clo. *Gos* —4D **48**
Liam Clo. *Hav* —5G **21**
Liberty, The. *Water* —4A **8**
Lichfield Ct. Gos —2H **47**
   (off Gazelle Clo.)
Lichfield Dri. *Gos* —6A **40**
Lichfield Rd. *Ports* —1G **51**
Liddiards Way. *Pur* —6G **19**
Lidiard Gdns. *S'sea* —5H **51**
Lightfoot Lawn. *S'sea* —4A **52**
Lilac Clo. *Hav* —6A **22**
Lily Av. *Water* —1D **30**
Limberline Rd. *Ports* —1C **42**
Limberline Spur. *Ports* —6C **30**
Lime Gro. *Hay I* —3G **53**
Lime Gro. *Ports* —2F **29**
Limes, The. *Gos* —4D **38**
Limes, The. *Hav* —3F **33**
Lincoln Ct. *Gos* —2H **47**
Lincoln Ri. *Water* —3A **10**
Lincoln Rd. *Ports* —2E **51**
Linda Gro. *Water* —4H **9**
Lindbergh Clo. *Gos* —2H **47**
Lindbergh Ri. *White* —3A **12**
Lind Clo. *Water* —6H **19**
Linden Gro. *Gos* —4D **48**
Linden Gro. *Hay I* —4C **54**
Linden Lea. *Fare* —2H **27**
Lindens Clo. *Ems* —1D **34**
Linden Way. *Hav* —6F **21**
Linden Way. *Water* —2C **10**
Lindisfarne Clo. *Ports* —3C **30**
Lindley Av. *S'sea* —5G **51**
Lindon Ct. *S'sea* —3F **51**
Lind Rd. *Gos* —6E **49**
Lindsey Ho. S'sea —5D **50**
   (off Richmond Rd.)
Linford Ct. *Hav* —2D **20**
Lingfield Ct. *Ports*
    —4B **50** (6D **4**)
Linkenholt Way. *Hav* —4C **20**
Linklater Path. *Ports* —6H **41**
Linklater Rd. *Ports* —6H **41**
Link Rd. *S'wick* —1F **29**
Links Clo. *Row C* —6H **11**
Links La. *Hay I* —4G **53**
Links La. *Row C* —5H **11**
Links, The. *Gos* —4C **38**
Link, The. *Water* —6A **10**
Link Way. *Fare* —4E **37**

Linnet Clo. *Water* —3G **9**
Linnet Ct. *Gos* —1B **48**
Linnets, The. *Fare* —3F **27**
Lion Ga. Building. *Ports*
—2B **50** (2D **4**)
Lion St. *Ports* —2B **50** (2D **4**)
(in two parts)
Lion Ter. *Ports* —2B **50** (3D **4**)
(in two parts)
Liphook Ho. *Hav* —4H **21**
Lisle Way. *Ems* —6C **22**
Liss Rd. *S'sea* —3F **51**
Lister Rd. *Ports* —3B **30**
Lith Av. *Horn* —5C **6**
Lith Cres. *Horn* —4C **6**
Lith La. *Horn* —5A **6**
(Catherington La.)
Lith La. *Horn* —4B **6**
(Lith Cres.)
Lit. Anglesey. *Gos* —5D **48**
Lit. Anglesey Rd. *Gos* —5C **48**
Lit. Arthur St. *Ports* —6A **42**
Little Clo. *Gos* —1C **38**
Lit. Coburg St. *Ports* —2D **50**
Lit. Corner. *Water* —4B **8**
Lit. Gays. *Fare* —3C **36**
Lit. George St. *Ports* —6A **42**
Little Grn. *Gos* —5C **48**
Littlegreen Av. *Hav* —5G **21**
Lit. Grn. Orchard. *Gos* —4C **48**
Lit. Hambrook St. *S'sea*
—4B **50** (6E **5**)
Little La. *Gos* —5C **48**
Lit. Mead. *Water* —4C **8**
Littlepark Av. *Hav* —6B **20**
Littlepark Ho. *Hav* —6A **20**
Lit. Southsea St. *S'sea*
—4B **50** (6E **5**)
Littleton Gro. *Hav* —5F **21**
Lit. Woodham La. *Gos* —2G **47**
Liverpool Ct. *Gos* —2H **47**
Liverpool Rd. *Fare* —5H **25**
Liverpool Rd. *Ports* —2E **51**
Livesay Gdns. *Ports* —1F **51**
Livingstone Ct. *Gos* —1H **47**
Livingstone Rd. *S'sea* —4D **50**
Lobelia Ct. *Water* —3A **20**
Locarno Rd. *Ports* —3C **42**
Lock App. *Port S* —4E **29**
Lockerley Rd. *Hav* —6G **21**
Locksheath Clo. *Hav* —3D **30**
Locksway Rd. *S'sea* —3H **51**
Lock Vw. *Port S* —4E **29**
Lodge Av. *Ports* —3C **30**
Lodgebury Clo. *Ems* —3H **35**
Lodge Gdns. *Gos* —4C **48**
Lodge Rd. *Hav* —2B **32**
Lodge, The. *Water* —3A **20**
Lodsworth Clo. *Water* —1D **6**
Lodsworth Ho. *Ports* —1D **50**
Lombard Ct. *Ports* —6C **4**
Lombard St. *Ports*
—4A **50** (6B **4**)
Lombardy Clo. *Gos* —3D **38**
Lombardy Ri. *Water* —4H **19**
Lomond Clo. *Ports* —5H **41**
Londesborough Rd. *S'sea*
—4E **51**
London Av. *Ports* —3H **41**
London Mall. *Ports* —3A **42**
London Rd. *Cosh & Water*
—3B **30**
London Rd. *Ports* —6A **30**
London Rd. *Water* —4D **6**
(in two parts)
Lone Valley. *Water* —6E **19**
Long Acre Ct. *Ports* —6A **42**
Longbridge Ho. *S'sea* —4E **5**
Long Copse La. *Ems* —5D **22**

Long Curtain Rd. *S'sea* —5A **50**
Longdean Clo. *Ports* —2E **29**
Long Dri. *Gos* —4C **38**
Longfield Av. *Fare* —4F **25**
Longfield Clo. *S'sea* —2A **52**
Longfield Rd. *Ems* —6C **22**
(in two parts)
Longlands Rd. *Ems* —3H **35**
Longmead Gdns. *Hav* —4F **33**
Longmynd Dri. *Fare* —3F **25**
Longshore Way. *S'sea* —3B **52**
Longs La. *Fare* —2F **37**
Longstaff Gdns. *Fare* —6H **13**
Longstock Rd. *Hav* —3H **21**
Longs Wlk. *Ports* —6H **41**
Long Water Dri. *Gos* —6E **49**
Longwood Av. *Water* —4H **9**
Lonsdale Av. *Fare* —5B **28**
Lonsdale Av. *Ports* —4C **30**
Lordington Clo. *Ports* —3D **30**
Lord Montgomery Way. *Ports*
—3B **50** (4E **5**)
Lords Ct. *Ports* —1D **50**
Lord's St. *Ports* —1D **50**
Loring Ho. *Ports* —1A **42**
Lorne Rd. *S'sea* —4E **51**
Louis Flagg Ho. *S'sea*
—3C **50** (5G **5**)
Lovage Way. *Water* —4C **6**
Lovatt Gro. *Fare* —6F **13**
Lovedean La. *Water* —4A **6**
Lovett Rd. *Ports* —2B **42**
Lowcay Rd. *S'sea* —5E **51**
Lwr. Bellfield. *Titch* —4B **24**
Lwr. Bere Wood. *Water*
—2H **19**
Lwr. Brookfield Rd. *Ports*
—1E **51**
Lwr. Church Path. *Ports*
—2C **50** (2G **5**)
Lwr. Derby Rd. *Ports* —4G **41**
Lwr. Drayton La. *Ports* —4E **31**
(in two parts)
Lwr. Farlington Rd. *Ports*
—3G **31**
Lwr. Forbury Rd. *S'sea*
—3D **50** (4H **5**)
Lwr. Grove Rd. *Hav* —6G **33**
Lwr. Quay. *Fare* —3B **26**
Lwr. Quay Clo. *Fare* —3B **26**
Lwr. Quay Rd. *Fare* —3B **26**
Lower Rd. *Hav* —2B **32**
Lwr. Tye Farm Cvn. Pk. *Hay I*
—4E **45**
Lwr. Wingfield St. *Ports*
—1D **50**
Lowestoft Rd. *Ports* —2H **29**
Lowland Rd. *Water* —3A **8**
Loxwood Rd. *Water* —1H **9**
Luard Ct. *Hav* —2H **33**
Lucerne Av. *Water* —5E **9**
Lucknow St. *Ports* —2E **51**
Ludcombe. *Water* —2B **8**
Ludlow Rd. *Ports* —2F **29**
Lugano Clo. *Water* —5F **9**
Lulworth Clo. *Hay I* —2C **54**
Lulworth Rd. *Lee S* —2C **46**
Lumley Gdns. *Ems* —2E **35**
Lumley Path. *Ems* —2E **35**
Lumley Rd. *Ems* —2E **35**
Lumsden Rd. *S'sea* —4B **52**
Lundy Wlk. *Fare* —2D **36**
Lutman St. *Ems* —5C **22**
Lychgate Dri. *Water* —5B **6**
Lychgate Grn. *Fare* —6E **25**
Lydney Clo. *Ports* —3G **29**
Lymbourn Rd. *Hav* —2G **33**
Lynden Clo. *Fare* —3D **24**
Lyndhurst Clo. *Hay I* —5C **54**

Lyndhurst Ho. *Hav* —3E **21**
Lyndhurst Rd. *Gos* —3C **48**
Lyndhurst Rd. *Ports* —3B **42**
Lyne Pl. *Water* —1B **10**
Lynn Rd. *Ports* —5B **42**
Lynton Gdns. *Fare* —6H **19**
Lynton Ga. *S'sea* —5C **50**
Lynton Gro. *Ports* —5C **42**
Lynwood Av. *Water* —4F **9**
Lysander Way. *Water* —1A **20**
Lysses Ct. *Fare* —2C **26**
Lysses Path. *Fare* —2C **26**

Mabey Clo. *Gos* —5E **49**
Mablethorpe Rd. *Ports* —2A **30**
Macaulay Av. *Ports* —2D **28**
Madden Clo. *Gos* —4B **48**
Madeira Rd. *Ports* —2A **42**
Madeira Wlk. *Hay I* —4B **54**
Madison Clo. *Gos* —5D **38**
Madison Ct. *Fare* —2C **26**
Mafeking Rd. *S'sea* —4F **51**
Magdala Rd. *Cosh* —4B **30**
Magdala Rd. *Hay I* —4A **54**
Magdalen Ct. *Ports* —2A **42**
Magdalen Rd. *Ports* —2H **41**
Magennis Clo. *Gos* —6D **38**
Magenta Ct. *Gos* —1G **47**
Magnolia Clo. *Fare* —3G **25**
Magnolia Way. *Water* —3C **10**
Magpie Clo. *Fare* —3E **27**
Magpie La. *Lee S* —6H **37**
Magpie Rd. *Hav* —7H **11**
Magpie Wlk. *Water* —3G **11**
(Broad Wlk.)
Magpie Wlk. *Water* —3F **9**
(Eagle Av.)
Maidford Gro. *Ports* —1E **43**
Maidstone Cres. *Ports* —2A **30**
Main Dri. *S'wick* —3E **17**
Main Rd. *Ems* —3E **35**
Main Rd. *Gos* —1D **38**
Main Rd. *Navy* —1H **49** (1A **4**)
Mainsail Dri. *Fare* —2H **25**
Maisemore Gdns. *Ems* —4B **34**
Maitland St. *Ports* —6H **41**
Maizemore Wlk. *Lee S* —1D **46**
Malcolm Ho. *Ports* —1B **42**
Maldon Rd. *Ports* —3H **29**
Malin Clo. *Fare* —2D **36**
Malins Rd. *Ports* —6H **41**
Mallard Gdns. *Gos* —3B **38**
Mallard Rd. *Row C* —6H **11**
Mallard Rd. *Fare* —2H **51**
Mallards, The. *Fare* —6A **14**
Mallards, The. *Hav* —4E **33**
Mallory Cres. *Fare* —6A **14**
Mallow Clo. *Ports* —3B **30**
Mallow Clo. *Water* —3H **19**
Mall, The. *Ports* —4H **41**
Malmesbury Lawn. *Hav*
—3C **20**
Malta Rd. *Ports* —5A **42**
Malthouse La. *Fare* —2B **26**
Malthouse Rd. *Ports* —5H **41**
Maltings, The. *Fare* —1D **26**
Malus Clo. *Fare* —4H **25**
Malvern Av. *Fare* —4G **25**
Malvern M. *Ems* —2D **34**
Malvern Rd. *Gos* —2B **48**
Malvern Rd. *S'sea* —6D **50**
Malwood Clo. *Hav* —3G **21**
Manchester Ct. *Gos* —2H **47**
Manchester Rd. *Ports* —2E **51**
Mancroft Av. *Fare* —3E **37**
Mandarin Way. *Gos* —1G **47**
Manners La. *S'sea* —3E **51**
Manners Rd. *S'sea* —3E **51**

Manor Clo. *Hav* —2F **33**
Manor Cres. *Ports* —4D **30**
Manor Gdns. *Ems* —2H **35**
Mnr. Lodge Rd. *Row C* —5G **11**
Manor M. *Ports* —3E **31**
Mnr. Park Av. *Ports* —5C **42**
Manor Rd. *Ems* —2H **35**
Manor Rd. *Hay I* —3A **54**
Manor Rd. *Ports* —6A **42**
Manor Vs. *Wick* —2A **14**
Manor Way. *Ems* —2H **35**
Manor Way. *Hay I* —5C **54**
Manor Way. *Lee S* —1C **46**
Mansfield Rd. *Gos* —5C **38**
Mansion Ct. *S'sea* —6E **51**
Mansion Rd. *S'sea* —6E **51**
Mansvid Av. *Ports* —4D **30**
Mantle Clo. *Gos* —6D **38**
Mantle Sq. *Ports* —3F **41**
Maple Clo. *Ems* —1D **34**
Maple Clo. *Fare* —2E **25**
Maple Clo. *Lee S* —2E **47**
Maple Cres. *Water* —1G **7**
Maple Dri. *Water* —3C **8**
Maple Rd. *Gos* —5D **50**
Mapletree Av. *Water* —2C **10**
Maple Wood. *Hav* —2B **32**
Maralyn Av. *Water* —3G **19**
Marchesi Ct. *Fare* —1E **37**
Marchwood Clo. Gos —4H **47**
(off Broadsands Dri.)
Marchwood Rd. *Hav* —3E **21**
Margaret Clo. *Water* —6F **9**
Margarita Rd. *Fare* —1G **25**
Margate Rd. *S'sea*
—3D **50** (5G **5**)
Margery's Ct. *Ports*
—2A **50** (3C **4**)
Marigold Clo. *Fare* —1G **25**
Marina Bldgs. Gos —3D **48**
(off Stoke Rd.)
Marina Clo. *Ems* —4E **35**
Marina Gro. *Fare* —4A **28**
Marina Gro. *Ports* —6D **42**
Marina Keep. *Port S* —5E **29**
Marine Cotts. *Gos* —2D **48**
Marine Ct. *S'sea* —5G **51**
Marine Pde. E. *Lee S* —2C **46**
Marine Pde. W. *Lee S* —6F **37**
Mariners Wlk. *S'sea* —2H **51**
Mariners Way. *Gos* —4F **49**
Marine Wlk. *Hay I* —4E **55**
Marion Rd. *S'sea* —6E **51**
Marjoram Cres. *Water* —4B **10**
Marjoram Way. *White* —2A **12**
Mark Anthony Ct. *Hay I*
—4A **54**
Mark Clo. *Ports* —1B **42**
Mark Ct. *Water* —1G **19**
Market Pde. *Hav* —2F **33**
Marketway. *Ports*
—1C **50** (1F **5**)
Mark's Rd. *Fare* —3G **37**
Marks Tey Rd. *Fare* —6E **25**
Markway Clo. *Ems* —2B **34**
Marlands Lawn. *Hav* —3C **20**
Marlborough Clo. *Water*
—4F **9**
Marlborough Gro. *Fare* —4A **28**
Marlborough Pk. *Hav* —6H **21**
Marlborough Rd. *Gos* —1B **48**
Marlborough Row. *Ports*
—1A **50** (1B **4**)
Marldell Clo. *Hav* —4G **21**
Marles Clo. *Gos* —5D **38**
Marlin Clo. *Gos* —1H **47**
Marlow Clo. *Fare* —5G **13**
Marlowe Ct. *Water* —6F **9**
Marmion Av. *S'sea* —5D **50**

Marmion Rd. *S'sea* —5C **50**
Marne Ho. *Fare* —3G **25**
Marples Way. *Hav* —2D **32**
Marrels Wood Gdns. *Pur*
—5E **19**
Marsden Rd. *Ports* —3F **29**
Marshall Rd. *Hay I* —5E **55**
Marsh Clo. *Ports* —5E **31**
Marshfield Ho. *Ports* —4F **31**
Marshlands Rd. *Ports* —4F **31**
Marshlands Spur. *Ports*
—4G **31**
Marsh La. *Fare* —3C **36**
Marshwood Av. *Water* —2A **20**
Marston La. *Ports* —1D **42**
Martello Clo. *Gos* —4H **47**
Martells Ct. *Ports*
—3A **50** (5C **4**)
Martin Av. *Fare* —3F **37**
Martin Av. *Water* —3C **8**
Martin Clo. *Lee S* —6H **37**
Martin Rd. *Fare* —3F **37**
Martin Rd. *Hav* —5G **21**
Martin Rd. *Ports* —5C **42**
Marvic Ct. *Hav* —3E **21**
Mary Rose Clo. *Fare* —6G **13**
Mary Rose St., The. *Ports*
—2C **50** (3F **5**)
Masefield Av. *Ports* —2D **28**
Masefield Cres. *Water* —4H **9**
Masten Cres. *Gos* —5C **38**
Matapan Rd. *Ports* —1H **41**
Matthews Clo. *Hav* —3E **21**
Maurice Rd. *S'sea* —3A **52**
Mavis Cres. *Hav* —1F **33**
Maxstoke Clo. *S'sea*
—2D **50** (3H **5**)
Maxwell Rd. *S'sea* —4G **51**
Maydman Sq. *Ports* —1G **51**
Mayfield Clo. *Fare* —2F **37**
Mayfield Rd. *Gos* —4E **49**
Mayfield Rd. *Ports* —3A **42**
Mayflower Clo. *Fare* —4E **37**
Mayflower Dri. *S'sea* —2A **52**
Mayhall Rd. *Ports* —4C **42**
Maylands Av. *S'sea* —2G **51**
Maylands Rd. *Hav* —1B **32**
Mayles Clo. *Wick* —2A **14**
Mayles Rd. *S'sea* —2H **51**
Maylings Farm Rd. *Fare*
—6H **13**
Maynard Clo. *Gos* —1C **38**
Maynard Pl. *Water* —6B **6**
Mayo Clo. *Ports* —6H **41**
May's La. *Fare* —2E **37**
Maytree Gdns. *Water* —4G **9**
Maytree Rd. *Cowp* —4G **9**
Maytree Rd. *Fare* —2A **26**
Meadend Clo. *Hav* —4H **21**
Mead End Rd. *Water* —4C **8**
Meadowbank Rd. *Fare* —2F **25**
Meadow Clo. *Hay I* —3B **44**
Meadow Ct. *Ems* —3D **34**
Meadow Edge. *Water* —1D **30**
Meadowlands. *Hav* —2G **33**
Meadowlands. *Row C* —4H **11**
Meadow Ri. *Water* —4B **10**
Meadows, The. *Fare* —6C **14**
Meadows, The. *Water* —1E **19**
Meadow St. *S'sea*
—4B **50** (6E **5**)
Meadowsweet. *Water* —6B **10**
Meadowsweet Way. *Ports*
—2H **29**
Meadow, The. *Water* —3B **8**
Meadow Wlk. *Gos* —6B **26**
Meadow Wlk. *Ports*
—1C **50** (1F **5**)
Mead, The. *Gos* —2B **38**

Mead Way. *Fare* —6B **14**
Meadway. *Water* —6A **10**
Meath Clo. *Hay I* —6E **55**
Medina Ct. *Lee S* —6F **37**
Medina Ho. *Fare* —4A **26**
Medina Rd. *Ports* —3H **29**
Medstead Rd. *Hav* —6F **21**
Megan Ct. *Ports* —4B **30**
Melbourne Ho. *Ports*
—1C **50** (2G **5**)
Melbourne Pl. *S'sea*
—3B **50** (4E **5**)
Mellor Clo. *Ports* —3H **29**
Melrose Clo. *S'sea* —3H **51**
Melrose Gdns. *Gos* —6F **39**
Melville Rd. *Gos* —6G **39**
Melville Rd. *S'sea* —5B **52**
Melvin Jones Ho. *Fare* —1E **37**
Memorial Sq. *Ports*
—2C **50** (3F **5**)
Mendips Rd. *Fare* —3G **25**
Mendips Wlk. *Fare* —3F **25**
Mengham Av. *Hay I* —5C **54**
Mengham Ct. *Hay I* —4D **54**
Mengham La. *Hay I* —4C **54**
Mengham Rd. *Hay I* —4C **54**
Menin Ho. *Fare* —1E **25**
Meon Clo. *Gos* —3B **38**
Meon Clo. *Water* —1D **6**
Meon Ho. *Fare* —4A **26**
Meon Rd. *Fare* —1A **36**
Meon Rd. *S'sea* —3G **51**
Meonside Ct. *Wick* —2A **14**
Merchants Row. Ports
—4A **50** (6B **4**)
(off White Hart Rd.)
Merchistoun Rd. *Water* —6B **6**
Mercury Pl. *Water* —1G **31**
Mere Cft. *Fare* —6A **12**
Meredith Rd. *Ports* —2A **42**
Merganser Clo. *Gos* —6H **39**
Meriden Rd. *S'sea*
—3B **50** (4E **5**)
Meridian Cen. *Hav* —2F **33**
Merlin Dri. *Ports* —1C **42**
Merlin Gdns. *Fare* —2H **27**
Mermaid Rd. *Fare* —6H **25**
Merrivale Ct. *Ems* —2H **35**
Merrivale Rd. *Ports* —2A **42**
Merrow Clo. *Fare* —3G **27**
Merryfield Av. *Hav* —4D **20**
Merstone Rd. *Gos* —3C **38**
Merthyr Av. *Ports* —2D **30**
Merton Av. *Fare* —5B **28**
Merton Ct. *S'sea* —4D **50**
Merton Cres. *Fare* —5A **28**
Merton Rd. *S'sea* —4C **50**
Meryl Rd. *S'sea* —3A **52**
Methuen Rd. *S'sea* —4G **51**
Mewsey Ct. *Hav* —2D **20**
Mews, The. *Gos* —3G **49**
Mews, The. *Hav* —5E **21**
Mews, The. Ports —1E **51**
(off Clive Rd.)
Mews, The. S'sea —5D **50**
(off Collingwood Rd.)
Mey Clo. *Water* —2A **20**
Meyrick Rd. *Hav* —2D **32**
Meyrick Rd. *Ports* —4G **41**
Micawber Ho. *Ports* —6H **41**
Michael Crook Clo. *Hav*
—6C **20**
Midas Clo. *Water* —5H **19**
Middle Clo. Ports —6A **42**
(off Inverness Rd.)
Middlecroft La. *Gos* —1B **48**
Middle Mead. *Fare* —3D **24**
Middle Pk. Way. *Hav* —5D **20**
Middlesex Rd. *S'sea* —4H **51**

Middle St. *S'sea* —3C **50** (4F **5**)
Middleton Clo. *Fare* —4G **25**
Middleton Ri. *Water* —1D **6**
Middleton Wlk. *Fare* —4G **25**
Midfield Clo. *Fare* —4H **25**
Midhurst Ho. *Ports* —1D **50**
Midway Rd. *Ports* —6A **30**
Midways. *Fare* —4E **37**
Milbeck Clo. *Water* —4A **10**
Milebush Rd. *S'sea* —2A **52**
Mile End Rd. *Ports* —6G **41**
Milford Clo. *Hav* —6D **20**
Milford Ct. *Gos* —4H **47**
Milford Ct. *S'sea* —3H **51**
Milford Rd. *Ports*
—2D **50** (2H **5**)
Military Rd. *Fare* —1D **26**
Military Rd. *Gos* —6C **48**
(Fort Rd., in three parts)
Military Rd. *Gos* —3A **48**
(Gomer La.)
Military Rd. *Gos* —3G **39**
(Gunners Way)
Military Rd. *Gos* —4G **47**
(PO13)
Military Rd. *Hils* —6B **30**
Military Rd. *Navy* —1B **50**
Military Rd. *Ports* —2E **31**
Milk La. *Water* —3E **19**
Millam Ct. *Hay I* —3A **54**
Millbrook Dri. *Hav* —3G **21**
Mill Clo. *Hay I* —3B **44**
Mill Clo. *Water* —3D **8**
Milldam. Ports —2B **50** (3D **4**)
Mill End. *Ems* —3E **35**
Millennium Clo. *Water* —4G **19**
Millennium Ct. *Water* —4G **19**
Miller Dri. *Fare* —6H **13**
(in two parts)
Mill Ga. Ho. Ports
—2A **50** (3C **4**)
(off St George's La.)
Mill La. *Ems* —2E **35**
Mill La. *Gos* —1D **48**
Mill La. *Hav* —2C **32**
Mill La. *Lang* —4E **33**
Mill La. *Ports* —6G **41**
Mill La. *Titch* —2C **24**
Mill La. *Water* —1A **30**
Mill Pond Rd. *Gos* —1D **48**
Mill Quay. *Ems* —4E **35**
Mill Rd. *Ems* —5F **23**
Mill Rd. *Fare* —3A **26**
Mill Rd. *Gos* —1C **48**
Mill Rd. *Water* —3F **19**
(London Rd.)
Mill Rd. *Water* —3C **8**
(Mead End Rd.)
Mill Rythe Holiday Village.
Hay I —1E **55**
Mill Rythe La. *Hay I* —6C **44**
Mills Rd. *Ports* —4H **41**
Mill St. *Titch* —3C **24**
Milton Clo. *S'sea* —2G **51**
Milton La. *S'sea* —2F **51**
Milton Locks. *S'sea* —3B **52**
Milton Pde. *Cowp* —5G **9**
Milton Pk. Av. *S'sea* —3H **51**
Milton Rd. *Ports & S'sea*
—1G **51**
Milton Rd. *Water & Cowp*
—6F **9**
Milverton Ho. *S'sea*
—3C **50** (5G **5**)
Milvil Ct. *Lee S* —1C **46**
Milvil Rd. *Lee S* —1C **46**
Mimosa Clo. *Fare* —6A **12**
Minden Ho. *Fare* —3H **25**
Minerva Clo. *Water* —1G **31**

Minerva Dri. *Gos* —6A **40**
Minley Ct. *Hav* —4H **21**
Minnitt Rd. *Gos* —3G **49**
Minstead Rd. *S'sea* —4H **51**
Minster Clo. *Fare* —1E **25**
Minter's Lepe. *Water* —6G **19**
Mission La. *Water* —4A **10**
Mitchell Rd. *Hav* —6B **20**
Mitchell Way. *Ports* —2D **42**
Mizen Way. *Gos* —1H **47**
Mizzen Ho. *Port S* —4E **29**
Moat Ct. *Gos* —4H **47**
Moat Dri. *Gos* —4H **47**
Moat Wlk. *Gos* —4H **47**
Mole Hill. *Water* —4H **19**
Molesworth Rd. *Gos* —3E **49**
(in two parts)
Monarch Clo. *Water* —2A **20**
Monckton Rd. *Gos* —6D **48**
Monckton Rd. *Ports* —3C **42**
Moneyfield Av. *Ports* —5C **42**
Moneyfield La. *Ports* —5C **42**
Moneyfield Path. *Ports* —4D **42**
Monks Hill. *Ems* —3E **23**
Monks Hill. *Fare* —5E **37**
Monks Way. *Fare* —4D **36**
Monkwood Clo. *Hav* —4D **20**
Monmouth Rd. *Ports* —3H **41**
Monroe Clo. *Gos* —4A **48**
Monson Ho. *Ports* —1E **51**
Montague Rd. *Ports* —4A **42**
Montague Wallis Ct. *Ports*
—2A **50** (3C **4**)
Montana Ct. *Water* —3H **19**
Monterey Dri. *Hav* —5G **21**
Montgomerie Rd. *S'sea*
—3D **50** (4H **5**)
Montgomery Rd. *Gos* —1C **38**
Montgomery Rd. *Hav* —2G **33**
Montgomery Wlk. *Water*
—4F **19**
Montrose Av. *Fare* —2C **28**
Montserrat Rd. *Lee S* —1C **46**
Monument La. *Fare* —4H **15**
Monxton Grn. *Hav* —3H **21**
Moody Rd. *Fare* —4D **36**
Moore Gdns. *Gos* —3B **48**
Moorgreen Rd. *Hav* —4G **21**
Moorings, The. *Fare* —4B **26**
Moorings Way. *S'sea* —2H **51**
Moorland Rd. *Ports* —1E **51**
Moor Pk. *Water* —5B **10**
Moortown Av. *Ports* —2E **31**
Moraunt Clo. *Gos* —5A **40**
Moraunt Dri. *Fare* —4H **27**
Morcumb Pk. Homes. *Ems*
—3F **35**
Morecombe Ct. *S'sea*
—3D **50** (4H **5**)
Moreland Rd. *Gos* —2D **48**
Morelands Ct. *Water* —5H **19**
Morelands Rd. *Water* —5G **19**
Moresby Ct. *Fare* —2B **26**
Morgan Rd. *S'sea* —3A **52**
Morgan's Dri. *Fare* —6E **25**
Morley Cres. *Water* —4A **10**
Morley Rd. *S'sea* —5G **51**
Morris Clo. *Gos* —6B **48**
Morshead Cres. *Fare* —6H **13**
Mortimer Lawn. *Hav* —2D **20**
Mortimer Rd. *Ports* —2G **28**
Mortimore Rd. *Gos* —1B **48**
Mosdell Rd. *Ems* —3H **35**
Moulin Av. *S'sea* —5E **51**
Mound Clo. *Gos* —4C **48**
Mountbatten Clo. *Gos* —1C **38**
Mountbatten Dri. *Water*
—3E **19**

Mountbatten Ho. *Navy*
—1A **50** (1B **4**)
Mountbatten Sq. *S'sea* —5H **51**
Mount Dri. *Fare* —3D **24**
Mountjoy Ct. *Ports*
—4A **50** (6B **4**)
Mt. Pleasant Rd. *Gos* —5D **48**
Mount, The. *Gos* —4D **38**
Mountview Av. *Fare* —2C **28**
Mountwood Rd. *S'brne*
—2H **35**
Mousehole Rd. *Ports* —2D **28**
Muccleshell Clo. *Hav* —5G **21**
Mulberry Av. *Fare* —4E **37**
Mulberry Av. *Ports* —3C **30**
Mulberry Clo. *Gos* —3D **48**
Mulberry La. *Ports* —4C **30**
Mulberry Path. *Ports* —4C **30**
Mullion Clo. *Port S* —4F **29**
Mumby Rd. *Gos* —2E **49**
Mundays Row. *Water* —4C **6**
Munster Rd. *Ports* —3H **41**
Murefield Rd. *Ports* —2D **50**
Muriel Rd. *Water* —1G **19**
Murray Clo. *Fare* —1G **25**
Murray Rd. *Water* —1B **10**
Murray's La. *Ports* —1H **49**
Murrell Grn. *Hav* —4H **21**
Murrills Est. *Fare* —3C **28**
Muscliffe Clo. *Hav* —4H **21**
Museum Rd. *Ports*
—3B **50** (5D **4**)
My Lord's La. *Hay I* —4D **54**
Myrtle Av. *Fare* —4B **28**
Myrtle Clo. *Gos* —2C **38**
Myrtle Gro. *Ports* —6D **42**

Nailsworth Rd. *Ports* —2F **29**
Naish Ct. *Hav* —2C **20**
Naish Dri. *Gos* —4G **39**
Nancy Rd. *Ports* —2E **51**
Napier Clo. *Gos* —2H **47**
Napier Cres. *Fare* —2E **25**
Napier Rd. *S'sea* —5D **50**
Napier Rd. *Water* —1C **10**
Narvik Rd. *Ports* —1H **41**
Naseby Clo. *Ports* —2E **29**
Nashe Clo. *Fare* —6F **13**
Nashe Ho. *Fare* —6E **13**
Nashe Way. *Fare* —6E **13**
Nasmith Clo. *Gos* —3A **48**
Nat Gonella Sq. *Gos* —3F **49**
(off Walpole Rd.)
Navy Rd. *Ports* —1A **50**
Needles Ho. *Fare* —4A **26**
Neelands Gro. *Ports* —3C **28**
Nelson Av. *Fare* —4H **27**
Nelson Av. *Ports* —3H **41**
Nelson Ct. *Fare* —5H **25**
Nelson Cres. *Water* —6C **6**
Nelson Ho. *Gos* —3G **49**
(off South St.)
Nelson La. *Fare* —6A **16**
Nelson Rd. *Gos* —3D **48**
Nelson Rd. *Ports* —6H **41**
Nelson Rd. *S'sea* —4C **50**
Nepean Clo. *Gos* —6D **48**
Neptune Ct. *Gos* —3D **38**
Neptune Rd. *Fare* —6H **25**
(PO14)
Neptune Rd. *Fare* —1E **25**
(PO15)
Nerissa Clo. *Water* —1A **20**
Nesbitt Clo. *Gos* —2B **38**
Nessus St. *Ports* —5H **41**
Nest Bus. Pk. *Hav* —5H **21**
Netherfield Clo. *Hav* —2G **33**
Netherton Rd. *Gos* —6F **39**

Netley Pl. *S'sea* —5C **50**
(off Netley Ter.)
Netley Rd. *S'sea* —5C **50**
Netley Ter. *S'sea* —5C **50**
Nettlecombe Av. *S'sea* —6E **51**
Nettlestone Rd. *S'sea* —5G **51**
Neville Av. *Fare* —5B **28**
Neville Ct. *Gos* —2D **48**
Neville Gdns. *Fare* —6C **22**
Neville Rd. *Ports* —6C **42**
Nevil Shute Rd. *Ports* —2C **42**
Newbarn Rd. *Hav* —6B **20**
Newbolt Clo. *Water* —4G **9**
Newbolt Rd. *Ports* —2C **28**
New Brighton Rd. *Ems* —2D **34**
Newbroke Rd. *Gos* —5D **38**
Newcomen Ct. *Ports* —3G **41**
Newcomen Rd. *Ports* —3G **41**
Newcome Rd. *Ports* —1E **51**
New Cut. *Hay I* —2B **44**
New Down La. *Pur* —1C **30**
Newgate La. *Fare* —2A **38**
Newgate La. Ind. Est. *Fare*
(in two parts) —5B **26**
Newlands. *Fare* —2E **25**
Newlands. *Water* —5B **8**
Newlands Av. *Gos* —3C **48**
Newlands Rd. *Water* —4F **19**
New La. *Hav* —1G **33**
Newlease Rd. *Water* —4H **19**
Newlyn Way. *Port S* —4E **29**
Newmer Ct. *Hav* —3C **20**
Newney Clo. *Ports* —1B **42**
Newnham Ct. *Hav* —4H **21**
New Pde. *Fare* —3B **28**
Newport Rd. *Gos* —2B **48**
New Rd. *Ems* —3H **35**
New Rd. *Fare* —2A **26**
New Rd. *Hav* —1D **32**
New Rd. *Ports* —6A **42**
New Rd. *Water* —1C **6**
(off Drift Rd.)
New Rd. *Water* —1G **9**
(off Lovedean La.)
New Rd. *Westb* —6F **23**
New Rd. E. *Ports* —5B **42**
Newton Clo. *Fare* —1E **37**
Newton Pl. *Lee S* —6G **37**
New Town. *Portc* —3B **28**
Newtown La. *Hay I* —3A **54**
Nicholas Ct. *Hay I* —4A **54**
Nicholas Lee *Lee S* —2C **46**
Nicholas Cres. *Fare* —1H **25**
Nicholl Pl. *Gos* —3C **38**
Nicholson Gdns. *Ports* —2H **5**
Nicholson Way. *Hav* —6E **21**
Nickel St. *S'sea* —4B **50** (6E **5**)
Nickleby Ho. *Ports* —6H **41**
Nickleby Rd. *Water* —1F **7**
Nightingale Clo. *Gos* —1B **48**
Nightingale Clo. *Row C*
—6G **11**
Nightingale Pk. *Hav* —2H **33**
Nightingale Rd. *Ports* —2B **30**
Nightingale Rd. *S'sea* —5B **50**
Nightjar Clo. *Water* —6A **6**
Nile St. *Ems* —3D **34**
Nimrod Dri. *Gos* —1H **47**
(in two parts)
Nine Elms La. *Fare* —5D **14**
Ninian Pk. Rd. *Ports* —3C **42**
Ninian Path. *Ports* —3C **42**
Niton Clo. *Gos* —3C **38**
Nobbs La. *Ports*
—3A **50** (5C **4**)
Nobes Av. *Gos* —2C **38**
Nobes Clo. *Gos* —3D **38**
Nook, The. *Gos* —4D **38**
Nore Cres. *Ems* —2B **34**

Nore Farm Av. *Ems* —2B **34**
Norfolk Cres. *Hay I* —5H **53**
Norfolk Ho. *Hav* —2G **33**
Norfolk M. *Hay I* —4A **54**
Norfolk Rd. *Gos* —6F **39**
Norfolk St. *S'sea*
—4C **50** (6F **5**)
Norgett Way. *Fare* —5H **27**
Norland Rd. *S'sea* —4E **51**
Norley Clo. *Hav* —4E **21**
Norman Clo. *Fare* —5B **28**
Norman Ct. *S'sea* —5E **51**
Normandy Ct. *Wick* —1B **14**
Normandy Gdns. *Gos* —3B **48**
Normandy Rd. *Ports* —1H **41**
Norman Rd. *Gos* —2C **48**
Norman Rd. *Hay I* —5D **54**
Norman Rd. *S'sea* —4E **51**
Norman Way. *Hav* —1C **32**
Norris Gdns. *Hav* —3G **33**
Norset Rd. *Fare* —1E **25**
Northam M. *Ports*
—2D **50** (2H **5**)
Northam St. *Ports*
—1D **50** (1H **5**)
Northarbour Rd. *Ports* —3G **29**
Northarbour Spur. *Ports*
—3H **29**
North Av. *Ports* —6A **30**
N. Battery Rd. *Ports* —3F **41**
Northbrook Clo. *Ports* —6H **41**
North Clo. *Gos* —3B **48**
North Clo. *Hav* —3G **33**
Northcote Rd. *S'sea* —4E **51**
Northcott Clo. *Gos* —4B **48**
North Ct. *Ports* —6A **42**
North Cres. *Hay I* —4D **54**
Northcroft Rd. *Gos* —1B **48**
N. Cross St. *Gos* —3F **49**
North Dri. *S'wick* —3D **16**
N. End Av. *Ports* —3H **41**
N. End Gro. *Ports* —3H **41**
Northern Pde. *Ports* —2H **41**
Northern Rd. *Ports* —5B **30**
Northesk Ho. *Ports* —1D **50**
Northfield Av. *Fare* —4H **25**
Northfield Cvn. Pk. *Fare*
—1H **27**
Northfield Clo. *Water* —3C **6**
Northfield Pk. *Fare* —2H **27**
Northgate Av. *Ports* —5B **42**
N. Grove Ho. *S'sea*
—4D **50** (6H **5**)
N. Harbour Bus. Pk. *Ports*
—4G **29**
North Hill. *Fare* —6B **14**
North Hill. *S'wick* —1F **29**
North La. *Water* —1F **7**
Northney La. *Hay I* —1E **45**
Northney Rd. *Hay I* —6G **33**
Northover Rd. *Ports* —5D **42**
N. Park Bus. Cen. *Know*
—1F **13**
North Rd. *S'wick* —1E **29**
North Rd. *Water* —3C **6**
North Rd. E. *S'wick* —3E **17**
North Rd. W. *S'wick* —3E **17**
N. Shore Rd. *Hay I* —3H **53**
North St. *Bed* —1D **32**
North St. *Ems* —2D **34**
North St. *Gos* —3F **49**
(in two parts)
North St. *Hav* —2F **33**
North St. *Ports* —1B **42**
(Cornwallis Cres.)
North St. *Ports* —2A **50** (2C **4**)
(Prince George St.)
North St. *Westb* —4F **23**
North St. Arc. *Hav* —2F **33**

Northumberland Rd. *S'sea*
—3E **51**
N. Wallington. *Fare* —1C **26**
North Way. *Gos* —1C **38**
North Way. *Hav* —2E **33**
Northway. *Titch* —6A **12**
Northways. *Stub* —3F **37**
Northwood La. *Hay I* —4C **44**
Northwood Rd. *Ports* —1A **42**
Northwood Sq. *Fare* —1B **26**
Norton Clo. *S'wick* —3D **16**
Norton Clo. *Water* —2F **19**
Norton Dri. *Fare* —6A **14**
Norton Rd. *S'wick* —3D **16**
Norway Rd. *Ports* —1B **42**
Norwich Pl. *Lee S* —6G **37**
Norwich Rd. *Ports* —2H **29**
Nottingham Pl. *Lee S* —6G **37**
Novello Gdns. *Water* —3G **19**
Nuffield Cen. *Ports*
—3B **50** (4D **4**)
Nursery Clo. *Ems* —6D **22**
Nursery Clo. *Gos* —2B **38**
Nursery Gdns. *Water* —2A **10**
Nursery La. *Fare* —3E **37**
Nursery Rd. *Hav* —1C **32**
Nursling Cres. *Hav* —4G **21**
Nutbourne Ho. *Ports* —4F **31**
Nutbourne Rd. *Hay I* —5G **55**
Nutbourne Rd. *Ports* —4F **31**
Nutfield Pl. *Ports* —1D **50**
Nuthatch Clo. *Row C* —6H **11**
Nutley Rd. *Hav* —4D **20**
Nutwick Rd. *Hav* —6H **21**
Nyewood Av. *Fare* —2B **28**
Nyria Way. *Gos* —3F **49**

Oakapple Gdns. *Ports*
—3G **31**
Oak Clo. *Water* —5G **9**
Oak Ct. *Fare* —1E **25**
Oakcroft La. *Fare* —6E **25**
Oakdene. *Gos* —4D **38**
Oakdown Rd. *Fare* —2F **37**
Oakes, The. *Fare* —1D **36**
Oakfield Ct. *Hav* —4H **21**
Oakhurst Dri. *Water* —1A **20**
Oakhurst Gdns. *Water* —1D **30**
Oaklands Gro. *Water* —4F **9**
Oaklands Rd. *Hav* —2G **33**
Oaklea Clo. *Water* —1D **30**
Oakley Ho. *S'sea*
—4C **50** (6F **5**)
Oakley Rd. *Hav* —4D **20**
Oak Mdw. Clo. *Ems* —6E **23**
Oakmont Dri. *Water* —5H **9**
Oak Pk. Dri. *Hav* —6G **21**
Oak Rd. *Fare* —1F **25**
Oak Rd. *Water* —2G **7**
Oaks Coppice. *Water* —1A **10**
Oakshott Dri. *Hav* —4G **21**
Oak St. *Gos* —3E **49**
Oak Thorn Clo. *Gos* —1G **47**
Oak Tree Dri. *Ems* —5C **22**
Oakum Ho. *Ports* —1G **51**
Oakwood Av. *Hav* —6B **20**
Oakwood Cen., The. *Hav*
—5H **21**
Oakwood Rd. *Hay I* —4B **54**
Oakwood Rd. *Ports* —1A **42**
Oberon Clo. *Water* —1A **20**
Occupation La. *Fare* —3A **24**
Ocean Clo. *Fare* —1F **25**
Ocean Ct. *Hay I* —5A **54**
Ocean Pk. *Ports* —4D **42**
Ocean Rd. *Fare* —6H **25**
Ockendon Clo. *S'sea*
—3C **50** (5F **5**)

Octavius Ct.—Percival Rd.

Octavius Ct. *Water* —6B **10**
Odell Clo. *Fare* —6H **13**
O'Jays Ind. Pk. *Ports* —3C **42**
Olave Clo. *Lee S* —1C **46**
Old Barn Gdns. *Water* —1H **9**
Old Bridge Rd. *S'sea* —5E **51**
Oldbury Ho. *S'sea* —5F **5**
Oldbury Way. *Fare* —3E **25**
Old Canal. *S'sea* —3H **51**
Old Canal, The. *S'sea* —3H **51**
Old Commercial Rd. *Ports*
—6G **41**
Old Copse Rd. *Hav* —1G **33**
Old Farm La. *Ems* —6F **23**
Old Farm La. *Fare* —4E **37**
Old Farm Way. *Ports* —4G **31**
Old Flour Mill, The. *Ems*
—3E **35**
Oldgate Gdns. *Ports* —1B **42**
Old Gosport Rd. *Fare* —3B **26**
Old La. *Water* —3B **6**
Old London Rd. *Ports* —1B **42**
Old Mnr. Farm. *Hav* —2B **32**
Old Mnr. Way. *Ports* —4D **30**
Old Rectory Clo. *Ems* —6E **23**
Old Rectory Rd. *Ports* —3G **31**
Old Reservoir Rd. *Ports*
—4F **31**
Old River. *Water* —4B **8**
Old Rd. *Gos* —4E **49**
Old Rd., The. *Ports* —5B **30**
Old School Dri. *Hay I* —5D **54**
Old Star Pl. *Ports*
—2A **50** (2B **4**)
Old St. *Fare* —4C **36**
(in two parts)
Old Timbers. *Hay I* —4B **54**
Old Turnpike. *Fare* —6B **14**
Old Turnpike Bus. Pk. *Fare*
—1B **26**
Old Van Diemans Rd. *Water*
—4E **19**
Old Wymering La. *Ports*
—3A **30**
Olinda St. *Ports* —1E **51**
Olive Cres. *Fare* —5B **28**
Oliver Rd. *S'sea* —4G **51**
Olivia Clo. *Water* —6A **10**
Omega Cen. *S'sea*
—2D **50** (3H **5**)
Omega Ho. *S'sea*
—2D **50** (3H **5**)
Omega St. *S'sea*
—2D **50** (3H **5**)
Onslow Rd. *S'sea* —6D **50**
Ophir Rd. *Ports* —3H **41**
Oracle Dri. *Water* —6G **19**
Orange Gro. *Gos* —4D **38**
Orange Row. *Ems* —3D **34**
Orchard Clo. *Gos* —4G **39**
Orchard Clo. *Hay I* —5B **54**
Orchard Clo. *Water* —1C **10**
Orchard Gro. *Fare* —4G **27**
Orchard Gro. *Water* —4H **9**
Orchard La. *Ems* —3B **34**
Orchard Rd. *Gos* —1F **49**
Orchard Rd. *Hav* —3F **33**
Orchard Rd. *Hay I* —5C **54**
Orchard Rd. *S'sea* —3E **51**
Orchard, The. *Ports* —4B **30**
Orchard, The. *Water* —3B **8**
Ordnance Ct. Ind. Est. *Ports*
—6C **30**
Ordnance Rd. *Gos* —3F **49**
Ordnance Row. *Ports*
—2A **50** (3B **4**)
Orford Ct. *Ports* —4B **30**
Oriel Rd. *Ports* —3H **41**
Orion Clo. *Fare* —3F **37**

Orkney Rd. *Ports* —2B **30**
Ormsby Rd. *S'sea* —4C **50**
Orpine Clo. *Fare* —6B **12**
Orsmond Clo. *Water* —3H **19**
Osborn Cres. *Gos* —1B **38**
Osborne Clo. *Water* —2A **20**
Osborne Rd. *Gos* —2F **49**
Osborne Rd. *Lee S* —1C **46**
Osborne Rd. *S'sea* —5C **50**
Osborne Vw. Rd. *Fare* —4C **36**
Osborn Mall. *Fare* —2C **26**
Osborn Rd. *Fare* —2B **26**
Osborn Rd. S. *Fare* —2B **26**
Osborn Sq. *Fare* —2C **26**
Osier Clo. *Ports* —3G **41**
Osprey Clo. *Ports* —4H **31**
Osprey Ct. *Fare* —3F **27**
Osprey Dri. *Hay I* —4D **54**
Osprey Gdns. *Lee S* —1D **46**
Osprey Quay. *Ems* —4F **35**
Othello Dri. *Water* —1A **20**
Otterbourne Cres. *Hav* —4D **20**
Otter Clo. *Gos* —2H **47**
Outram Rd. *S'sea* —4D **50**
Oval Gdns. *Gos* —3B **48**
Overton Cres. *Hav* —4D **20**
Overton Rd. *Ems* —2H **35**
Owen Clo. *Gos* —6C **38**
Owen Ho. Ports —1F 51
(off Whitcombe Gdns.)
Owen St. *S'sea* —5G **51**
Owslebury Gro. *Hav* —4F **21**
Oxenwood Grn. *Hav* —3D **20**
Oxford Clo. *Fare* —1H **25**
Oxford Rd. *Gos* —2B **48**
Oxford Rd. *S'sea* —4E **51**
Oxleys Clo. *Fare* —3D **24**
Oxted Ct. *S'sea* —2H **51**
Oyster Ind. Est. *Ports* —4E **31**
Oyster M. *Ports* —4A **50** (6B **4**)
Oyster Quay. *Port S* —4F **29**
Oyster St. *Ports*
—4A **50** (6B **4**)
Oyster Vw. *Lee S* —6F **37**

Padbury Clo. *Ports* —1B **42**
Paddington Rd. *Ports* —4B **42**
Paddock End. *Water* —4B **8**
Paddock, The. *Fare* —1E **37**
Paddock, The. *Gos* —4C **48**
Paddock Wlk. *Ports* —3E **29**
Padnall Av. *Water* —4A **10**
Padnell Pl. *Water* —5B **10**
Padnell Rd. *Water* —4A **10**
Padwick Av. *Ports* —3C **30**
Padwick Ct. *Hay I* —4A **54**
Paffard Clo. *Gos* —6C **38**
Paget Rd. *Gos* —5C **48**
Pagham Clo. *Ems* —3E **35**
Pagham Gdns. *Hay I* —5H **55**
Paignton Av. *Ports* —5C **42**
Pain's Rd. *S'sea*
—3D **50** (5H **5**)
Painswick Clo. *Ports* —3G **29**
Painter Clo. *Ports* —2E **43**
Palk Rd. *Hav* —1D **32**
Pallant Gdns. *Fare* —1D **26**
Pallant, The. *Hav* —2F **33**
Palm Ct. *S'sea* —5C **50**
Palmer's Rd. *Ems* —2D **34**
Palmers Rd. Ind. Est. *Ems*
—2D **34**
Palmerston Av. *Fare* —2B **26**
Palmerston Bus. Pk. *Fare*
—4A **26**
Palmerston Dri. *Fare* —4A **26**
Palmerston Mans. S'sea
(off Palmerston Rd.) —5C 50

Palmerston Rd. *Hay I* —3C **54**
Palmerston Rd. *S'sea* —5C **50**
Palmerston Way. *Gos* —5A **48**
Palmyra Rd. *Gos* —6G **39**
Pamela Av. *Ports* —2D **28**
Pangbourne Av. *Ports* —4D **30**
Pannall Rd. *Gos* —6G **39**
Pan St. *Ports* —1C **50** (1G **5**)
Panton Clo. *Ems* —6C **22**
Parade Ct. *Ports* —6A **30**
Parade, The. *Fare* —2E **37**
Parade, The. *Gos* —2B **38**
Parade, The. *Navy*
—1A **50** (1B **4**)
Paradise La. *Ems* —5F **23**
Paradise La. *Fare* —2E **27**
(in two parts)
Paradise St. *Ports*
—1C **50** (1G **5**)
Parchment, The. *Hav* —2F **33**
Parham Rd. *Gos* —1E **49**
Park Av. *Water* —1E **31**
Park Building. *Ports*
—2B **50** (3E **5**)
Park Clo. *Gos* —1B **48**
Park Ct. *S'sea* —4C **50** (6F **5**)
Park Cres. *Ems* —2B **34**
Parker Clo. *Gos* —4G **39**
Parker Gdns. *Water* —1E **31**
Pk. Farm Av. *Fare* —5E **13**
Pk. Farm Clo. *Fare* —6F **13**
Pk. Farm Rd. *Water* —5F **19**
Park Gro. *Ports* —4B **30**
Park Ho. *S'sea* —5C **50**
Pk. Ho. Farm Way. *Hav* —5B **20**
Parklands. *Den* —4B **8**
Parklands Av. *Water* —2A **10**
Parklands Bus. Pk. *Den* —4B **8**
Parklands Clo. *Gos* —1D **48**
Park La. *Bed* —1C **32**
Park La. *Cosh* —3C **30**
Park La. *Cowp* —5H **9**
Park La. *Ems* —1F **23**
(in two parts)
Park La. *Fare* —6B **14**
Park La. *Stub* —2E **37**
(in three parts)
Park La. *Water* —6B **10**
Park Mans. *Ports* —4C **30**
Park Pde. *Hav* —5E **21**
(in two parts)
Park Rd. *Den* —2B **8**
Park Rd. *Ems* —2H **35**
Park Rd. *Gos* —5D **48**
Park Rd. *Hay I* —3G **53**
Park Rd. *Ports* —3A **50** (4C **4**)
Park Rd. *Water* —5E **19**
Park Rd. N. *Hav* —1E **33**
Park Rd. S. *Hav* —2F **33**
Park Royal. *Ports* —2A **42**
Parkside. *Hav* —1C **32**
Parkstone Av. *S'sea* —6E **51**
Parkstone La. *S'sea* —5E **51**
Park St. *Gos* —2D **48**
Park St. *S'sea* —3B **50** (5E **5**)
Park Terraces. *Gos* —3E **49**
Park Vw. *Row C* —1H **21**
Pk. View Ho. *Fare* —5B **14**
Park Wlk. *Fare* —6F **13**
Parkway. *Fare* —6B **14**
Park Way. *Hav* —2E **33**
Parkway. *White* —2A **12**
Parkway, The. *Gos* —3B **38**
Parkwood Bus. Cen. *Water*
—1G **19**
Parr Rd. *Ports* —3H **29**
Parry Clo. *Ports* —3C **28**
Parsons Clo. *Ports* —1B **42**
Partridge Clo. *Fare* —3E **27**

Partridge Gdns. *Water* —3F **9**
Passfield Wlk. *Hav* —4H **21**
Passingham Wlk. *Water*
—3A **10**
Pasteur Rd. *Ports* —3A **30**
Pastures, The. *Water* —4A **8**
Patchway Dri. *Fare* —3E **25**
Patrick Howard Dobson Ct.
Water —3H **9**
Patterdale Ho. *Ports* —2F **29**
Paulsgrove Enterprise Cen.
Ports —3F **29**
Paulsgrove Ind. Cen. *Ports*
—3F **29**
Paulsgrove Rd. *Ports* —5B **42**
Paxton Rd. *Fare* —2H **25**
Peacock Clo. *Fare* —3E **27**
Peacock La. *Ports*
—4A **50** (6C **4**)
Peak Dri. *Fare* —3F **25**
Peakfield. *Water* —3A **8**
Peak La. *Fare* —3F **25**
Peak Rd. *Water* —2E **7**
Peak, The. *Row C* —4H **11**
Pearce Ct. *Gos* —2E **49**
Peartree Clo. *Fare* —2F **37**
Pebble Clo. *Hay I* —5D **54**
Pebmarsh Rd. *Ports* —3H **29**
Pedam Clo. *S'sea* —4G **51**
Peel Pl. *S'sea* —3C **50** (5F **5**)
Peel Rd. *Gos* —2E **49**
Pegasus Clo. *Gos* —2H **47**
Peggotty Ho. *Ports* —6H **41**
Pegham Ind. Est. *Fare* —3E **13**
Pelham Rd. *Gos* —2D **48**
Pelham Rd. *S'sea*
—4C **50** (6G **5**)
Pelham Rd. Pas. *S'sea*
—4C **50** (6G **5**)
Pelham Ter. *Ems* —3E **35**
Pelican Clo. *Fare* —1F **25**
Pelican Rd. *Fare* —6H **25**
Pembroke Chambers. *Ports*
—6C **4**
Pembroke Clo. *Ports*
—4A **50** (6C **4**)
Pembroke Ct. *Gos* —4C **38**
Pembroke Cres. *Fare* —3C **36**
Pembroke Rd. *Ports*
(in two parts) —4A **50** (6C **4**)
Pembury Rd. *Fare* —1F **37**
Pembury Rd. *Hav* —3G **33**
Penarth Av. *Ports* —3D **30**
Pendennis Rd. *Ports* —2D **28**
Penhale Rd. *Ports* —2E **51**
Penhurst Rd. *Hav* —1B **32**
Penjar Av. *Water* —5E **19**
Penk Ridge. *Hav* —3H **31**
Pennant Hills. *Hav* —1B **32**
Pennant Pk. *Fare* —6C **14**
Pennerly Ct. *Hav* —2D **20**
Penner Rd. *Hav* —4E **33**
Pennine Wlk. *Fare* —4G **25**
Pennine Way. *Lee S* —3E **47**
Pennington Way. *Fare* —6F **13**
Penn Way. *Gos* —4A **48**
Penny La. *Ems* —3F **35**
Penny Pl. *Water* —6G **19**
Penny St. *Ports* —4A **50** (6C **4**)
Penrhyn Av. *Ports* —3D **30**
Penrose Clo. *Ports* —3H **41**
Pentere Rd. *Water* —1A **10**
Pentland Ri. *Fare* —2B **28**
Penton Ct. *Hav* —3H **21**
Penwood Grn. *Hav* —4H **21**
Peper Harow. *Water* —1B **10**
Pepys Clo. *Gos* —6D **48**
Pepys Clo. *S'sea* —4F **51**
Percival Rd. *Ports* —5B **42**

Percy Chandler St. *Ports*
—1D **50**
Percy Rd. *Gos* —3E **49**
Percy Rd. *S'sea* —3E **51**
Peregrines, The. *Fare* —3F **27**
Perkins Ho. *Ports* —2D **4**
Peronne Clo. *Ports* —6B **30**
Peronne Rd. *Ports* —6B **30**
Perseus Pl. *Water* —6G **19**
Perth Ho. *Ports*
—2D **50** (2H **5**)
Perth Rd. *Gos* —2D **38**
Perth Rd. *S'sea* —3H **51**
Pervin Rd. *Ports* —3B **30**
Peter Ashley La. *Ports* —2F **31**
Peterborough Ct. Gos —2H **47**
(off Anson Clo.)
Peterborough Rd. *Ports*
—2A **30**
Petersfield Ho. *Ports* —1H **5**
Petersfield Rd. *Clan* —1G **7**
Petersfield Rd. *Hav* —1E **33**
Petersham Clo. *Water* —6F **9**
Petersham Ho. S'sea —6D **50**
(off Clarendon Ho.)
Petrel Wlk. *Gos* —3B **38**
Petrie Rd. *Lee S* —1D **46**
Pettycot Cres. *Gos* —2B **38**
Petworth Rd. *Ports* —1H **51**
Philip Rd. *Water* —4H **19**
Phoenix Bldgs. *Ports* —3C **42**
Phoenix Sq. *Ports* —1A **42**
Phoenix Way. *Gos* —4D **38**
Pickwick Ho. *Ports* —6H **41**
Picton Ho. *S'sea*
—3C **50** (4G **5**)
Pier Head Rd. *Ports* —5E **41**
Pier Rd. *S'sea* —5B **50**
Pier St. *Lee S* —1C **46**
Pigeonhouse La. *Pur* —3H **17**
Pilbrow Ct. *Gos* —3B **48**
Pilgrims Way. *Fare* —4D **36**
Pilning Clo. *Fare* —3E **25**
Pine Ct. *Ems* —5D **22**
Pine Dri. *Water* —2G **7**
Pine Gro. *Hav* —2G **33**
Pinehurst Clo. *Water* —5C **10**
Pines, The. *Fare* —2G **27**
Pine Tree Gdns. *Water* —5A **10**
Pine Trees Clo. *Fare* —3F **25**
Pinewood. *Gos* —4D **38**
Pinewood Av. *Hav* —6B **20**
Pinewood Clo. *Fare* —1F **37**
Pinewood Lodge. Fare —1B **26**
(off Northwood Sq.)
Pink Rd. *Ports* —5A **42**
Pinks Hill. *Fare* —1D **26**
Pinsley Dri. *S'wick* —3D **16**
Pipers Mead. *Water* —2E **7**
Pipers Wood Ind. Pk. *Water*
—1E **19**
Pipit Clo. *Gos* —6H **39**
Pipit Clo. *Water* —1A **10**
Pitcairn M. *S'sea* —5H **51**
Pitcroft La. *Ports* —5H **41**
(in two parts)
Pitcroft Rd. *Ports* —4H **41**
Pitreavie Rd. *Ports* —5B **30**
Pitymoor La. *S'wick* —5F **17**
Place Cres. *Water* —4H **19**
Place Ho. Clo. *Fare* —2E **25**
Plaitford Gro. *Hav* —5B **20**
Playfair Rd. *S'sea*
—3D **50** (5H **5**)
Pleasant Rd. *S'sea* —3H **51**
Plover Clo. *Fare* —3D **36**
Plover Reach. *S'sea* —2H **51**
Plovers Rd. *Water* —6A **6**
Plumley Wlk. *Hav* —2D **20**

Plumpton Gdns. *Ports* —2E **43**
Plumpton Gro. *Water* —6B **10**
Plymouth Dri. *Fare* —3C **36**
Plymouth St. *S'sea*
—3C **50** (4G **5**)
Poinsettia Clo. *Fare* —6A **12**
Pond La. *Water* —1F **7**
Pond Piece. *Water* —4B **8**
Ponsonby Ho. *S'sea*
—3C **50** (4G **5**)
Pook La. *Fare* —5B **14**
Pook La. *Hav* —4G **33**
(in three parts)
Popham Ct. *Hav* —3C **20**
Poplar Dri. *Fare* —3G **25**
Poplar Gro. *Hay I* —3C **54**
Portal Rd. *Gos* —2C **38**
Portchester La. *S'wick* —6B **16**
Portchester Rd. *Fare* —2F **27**
Portchester Rd. *Ports* —5A **42**
Portcreek Cotts. *Ports* —6D **30**
Portfield Ind. Est. *Ports*
—2C **42**
Portfield Rd. *Ports* —2C **42**
Portland Building. *Ports*
—2B **50** (2D **4**)
Portland Bldgs. *Gos* —3E **49**
Portland Dri. *Gos* —4H **47**
Portland Ho. *Gos* —3F **49**
Portland Rd. *S'sea* —5C **50**
Portland Rd. *Water* —2G **19**
Portland St. *Fare* —2B **26**
Portland St. *Ports*
—2B **50** (3D **4**)
Portland Ter. *S'sea* —5C **50**
Portobello Gro. *Fare* —3C **36**
Port Royal St. *S'sea* —2D **50**
Port Royal St. Ind. Est. *S'sea*
—2D **50** (3H **5**)
Portsbridge Roundabout.
Ports —5A **30**
Portsdown Av. *Ports* —3E **31**
Portsdown Hill Rd. *Fare*
—6H **15**
Portsdown Hill Rd. *Ports & Hav*
—1H **29**
Portsdown Rd. *Ports & Fare*
—2C **28**
Portsmouth Enterprise Cen.
Ports —2D **42**
Portsmouth Rd. *Cosh* —5B **30**
Portsmouth Rd. *Horn* —2B **10**
Portsmouth Rd. *Lee S* —3D **46**
Portsview Av. *Fare* —2B **28**
Portsview Gdns. *Fare* —2B **28**
Portswood Rd. *Hav* —3D **20**
Portswood Rd. *Ports* —6A **30**
Port Way. *Port S* —3E **29**
Posbrooke Rd. *S'sea* —3G **51**
Postern Clo. *Fare* —3B **28**
Post Office Rd. *Water* —4E **19**
Potash Ter. *Hav* —1E **33**
Potteries, The. *Fare* —6B **14**
Potters Av. *Fare* —5A **14**
Poulner Ct. *Hav* —3C **20**
Pound Clo. *Gos* —5D **38**
Pound Lea. *Hay I* —2C **54**
Pound Rd. *S'wick* —1F **29**
Pounds Ter. *Ports*
—1A **50** (1C **4**)
Power Rd. *Ports* —1E **51**
Powerscourt Rd. *Ports* —5A **42**
Poyner Clo. *Fare* —1B **26**
Poynings Pl. *Ports*
—4B **50** (6C **4**)
Precinct, The. *Gos* —3F **49**
Precinct, The. *Hay I* —4C **54**
Precinct, The. *Water* —2G **19**

Premier Bus. Pk. *Fare* —5B **26**
Preston Rd. *Ports* —5B **42**
Pretoria Rd. *S'sea* —4F **51**
Prideaux-Brune Av. *Gos*
—1C **38**
Primate Rd. *Fare* —1A **24**
Primrose Clo. *Gos* —6C **26**
Primrose Ct. *Water* —3A **20**
Prince Albert Rd. *S'sea*
—4G **51**
Prince Alfred St. *Gos* —4D **48**
Prince George's St. *Hav*
—2F **33**
Prince George St. *Ports*
—2A **50** (2C **4**)
Prince of Wales Clo. *Water*
—2A **20**
Prince of Wales Rd. *Gos*
—3E **49**
Prince Regent Ct. *S'sea* —5F **5**
Prince Rd. *Fare* —5H **25**
Princes Ct. *Ports* —6H **41**
Princes Dri. *Water* —6A **10**
Princes Ho. S'sea
—4B **50** (6E **5**)
(off King's Ter.)
Prince's Pl. *Ports* —6G **41**
Princess Gdns. *Water* —6B **6**
Prince's St. *Ports* —6H **41**
Prinsted Cres. *Ports* —4F **31**
Prinsted La. *Prin* —3G **35**
Prinsted Rd. *Prin* —4H **35**
Prinsted Wlk. *Fare* —3F **25**
Priors Clo. *S'brne* —2H **35**
Priorsdean Av. *Ports* —1G **51**
Priorsdean Cres. *Hav* —5D **20**
Priory Ct. *S'sea* —3E **51**
Priory Cres. *S'sea* —3G **51**
Priory Gdns. *Fare* —4A **28**
Priory Gdns. *Water* —6G **9**
Priory Rd. *Fare* —1F **25**
Priory Rd. *Gos* —5H **39**
Priory Rd. *S'sea* —5G **51**
Priory Rd. *S'wick* —3E **17**
Privett Ho. *Ports*
—1A **50** (1C **4**)
Privett Pl. *Gos* —3A **48**
Privett Rd. *Fare* —1E **25**
Privett Rd. *Gos* —4G **47**
Privett Rd. *Water* —6F **19**
Prochurch Rd. *Water* —3B **10**
Proctor La. *Ports* —2F **51**
Promenade. *Lee S* —6F **37**
Promenade. *Ports & S'sea*
—4A **50**
Promenade Ct. *Lee S* —1C **46**
Promenade, The. *Ports*
—4H **41**
Prospect La. *Hav* —4H **21**
Prospect Rd. *Ports* —6G **41**
Protea Gdns. *Titch* —2C **24**
Puffin Cres. *Fare* —1D **36**
Puffin Gdns. *Gos* —2B **38**
Puffin Wlk. *Water* —3F **9**
Pump La. *Gos* —4C **38**
Pump La. *Water* —2A **10**
Purbeck Dri. *Fare* —3F **25**
Purbeck St. *Ports*
—2B **50** (3D **4**)
Purbeck Wlk. *Fare* —3F **25**
Purbrook Chase Precinct.
Water —6G **19**
Purbrook Gdns. *Water* —4E **19**
Purbrook Heath Rd. *Water*
—4B **18**
Purbrook Rd. *Ports* —2E **51**
Purbrook Way. *Pur & Hav*
—5H **19**
Purcell Clo. *Water* —4G **19**

Purslane Gdns. *Fare* —6A **12**
Pycroft Clo. *Hay I* —2E **45**
Pye St. *Ports* —1C **50** (1G **5**)
Pyle Clo. *Water* —3A **10**
Pyle La. *Horn* —2E **11**
Pyramid Cen. *Ports* —2D **42**
Pyrford Clo. *Gos* —4A **48**
Pyrford Clo. *Water* —5G **9**
Pytchley Clo. *Fare* —3C **36**

Quail Way. *Water* —1A **10**
Quarely Rd. *Hav* —3C **20**
Quarterdeck Av. *Ports* —4F **41**
Quartremaine Rd. *Ports*
—2D **42**
Quartremaine Rd. Ind. Est.
Ports —3D **42**
Quay La. *Gos* —4H **39**
Quay La. *H'way* —3G **49**
Quay Side Commerce Cen.
Fare —3B **26**
Quay St. *Fare* —3C **26**
(in two parts)
Queen Anne's Dri. *Hav* —1C **32**
Queen Mary Rd. *Fare* —4B **28**
Queen Rd. *Fare* —5H **25**
Queens Clo. *Lee S* —1C **46**
Queens Ct. *Gos* —3E **49**
Queens Cres. *Fare* —2F **37**
Queens Cres. *Horn* —6B **6**
Queen's Cres. *S'sea* —4C **50**
Queens Ga. S'sea —5B **50**
(off Osborne Rd.)
Queens Gro. *S'sea* —5C **50**
Queens Gro. *Water* —4F **19**
Queens Keep. *S'sea* —5C **50**
Queen's Mall, The. *Ports*
—2C **50** (3F **5**)
Queen's Pde. *Gos* —3A **48**
Queen's Pde. *Water* —2G **19**
Queen's Pl. *S'sea* —4C **50**
Queen's Rd. *Fare* —2B **26**
Queen's Rd. *Gos* —2E **49**
Queen's Rd. *Navy* —1H **49**
Queens Rd. *Lee S* —3D **46**
Queen's Rd. *Ports* —5A **42**
Queen's Rd. *Water* —5G **9**
Queen's Ter. *S'sea* —4C **50**
Queen St. *Ems* —3E **35**
Queen St. *Ports*
—2A **50** (2B **4**)
Queensway. *Hay I* —2C **44**
Queen's Way. *S'sea* —4C **50**
Queensway, The. *Fare* —3H **27**
Quinton Clo. *S'sea*
—3D **50** (4H **5**)
Quintrell Av. *Fare* —3G **27**

Racecourse La. *Ports* —3F **29**
Racton Av. *Ports* —3D **30**
Racton Rd. *Ems* —6D **22**
Radclyffe Rd. *Fare* —1C **26**
Radnor St. *S'sea*
—3C **50** (4G **5**)
Raglan St. *S'sea*
—2D **50** (3H **5**)
Rails La. *Hay I* —4D **54**
Railway Flats. *Ports* —2E **51**
Railway Triangle Ind. Est.
Cosh —5D **30**
Railway Vw. *Ports*
—2D **50** (2H **5**)
Raleigh Ho. *Ports* —3C **4**
Raleigh Wlk. *Gos* —1H **47**
Rambler Dri. *Gos* —1G **47**
Ramblers Way. *Water* —6B **10**
Ramillies Ho. *Fare* —4G **25**

Ramillies Ho.—St Denys Wlk.

Ramillies Ho. *Gos* —3E **49**
(off Bishopsfield Rd.)
Rampart Gdns. *Ports* —6B **30**
Rampart Row. *Gos* —4G **49**
(in two parts)
Ramsay Pl. *Gos* —3C **38**
Ramsdale Av. *Hav* —4C **20**
Ramsey Rd. *Hay I* —4C **54**
Randolph Rd. *Ports* —2A **42**
Ranelagh Rd. *Hav* —2D **32**
Ranelagh Rd. *Ports* —4G **41**
Range Grn. *Ports* —2G **41**
Rannoch Clo. *Fare* —6G **13**
Ransome Clo. *Fare* —4B **24**
Ranvilles La. *Fare* —3D **24**
Rapson Clo. *Ports* —2G **29**
Ratsey La. *Ports* —1E **51**
Ravelin Ho. *Ports*
—3B **50** (5E **5**)
Raven Clo. *Gos* —1G **47**
Raven Cft. *S'sea* —4C **50** (6F **5**)
Ravens Clo. *Fare* —3F **37**
Ravenswood Gdns. *S'sea*
—5D **50**
Rawlinson Ter. *Ports*
—1A **50** (1C **4**)
Raymond Rd. *Ports* —2C **28**
Raynes Rd. *Lee S* —3D **46**
Record Rd. *Ems* —2C **34**
Rectory Av. *Ports* —2H **31**
Rectory Clo. *Fare* —2E **37**
Rectory Clo. *Gos* —5C **48**
Rectory Rd. *Hav* —3F **33**
(in two parts)
Redan, The. *Gos* —6E **49**
Red Barn Av. *Fare* —2A **28**
Red Barn La. *Fare* —5G **13**
Redbridge Gro. *Hav* —6D **20**
Redcar Av. *Ports* —4C **42**
Redcliffe Gdns. *S'sea* —6E **51**
Redhill Ho. *Ports* —1D **50**
Redhill Rd. *Row C* —1H **21**
Redhouse Pk. Gdns. *Gos*
—1A **48**
Redlands Gro. *S'sea* —3H **9**
Redlands La. *Ems* —5D **22**
(in two parts)
Redlands La. *Fare* —2H **25**
Redlynch Clo. *Hav* —5H **21**
Rednal Ho. *S'sea*
—2D **50** (3H **5**)
Redoubt Ct. *Fare* —5H **25**
Redshank Rd. *Water* —6A **6**
Redwing Ct. *S'sea* —2A **52**
Redwing Rd. *Water* —1C **6**
Redwood Ct. *Water* —1G **19**
Redwood Dri. *Fare* —3H **27**
Redwood Gro. *Hav* —5G **21**
Redwood Lodge. *Fare* —1B **26**
Reedling Dri. *S'sea* —2A **52**
Reedmace Clo. *Water* —3A **20**
Reed's Pl. *Gos* —2C **48**
Reeds Rd. *Gos* —6H **39**
Regal Clo. *Ports* —3B **30**
Regency Ct. *Ports*
—3A **50** (5B **4**)
Regency Gdns. *Water* —3F **19**
Regency Pl. *Fare* —2G **25**
Regent Ct. *Ports* —6H **41**
Regent Pl. *S'sea* —4B **50**
Regents Ct. *Hav* —3F **33**
Regent St. *Ports* —6G **41**
Reginald Rd. *S'sea* —4G **51**
Reigate Ho. *Ports* —1D **50**
Relay Rd. *Water* —1F **19**
Reldas, The. *Ports*
—4A **50** (6B **4**)
(off Oyster St.)
Renny Rd. *Ports* —2E **51**

Renown Gdns. *Water* —2H **9**
Renown Ho. *Gos* —3E **49**
(off Anchorage, The)
Repton Clo. *Gos* —3A **48**
Resolution Ho. *Gos* —3E **49**
(off Anchorage, The)
Rest-a-Wyle Av. *Hay I* —2C **54**
Retreat, The. *S'sea* —4C **50**
Revenge Clo. *S'sea* —1A **52**
Revenge Ho. *Gos* —3E **49**
Reynolds Rd. *Gos* —5E **49**
Rhinefield Clo. *Hav* —5C **20**
Rhys Ct. *S'sea* —3G **51**
Richard Gro. *Gos* —4G **39**
Richmond Clo. *Hay I* —3H **53**
Richmond Dri. *Hay I* —3H **53**
Richmond Ho. *Ports* —3D **4**
Richmond Pl. *Ports*
—2B **50** (3D **4**)
Richmond Pl. *S'sea* —5C **50**
Richmond Ri. *Fare* —2A **28**
Richmond Rd. *Gos* —3C **48**
Richmond Rd. *Lee S* —6F **37**
Richmond Rd. *S'sea* —5D **50**
Richmond Ter. *S'sea* —5C **50**
(off Netley Rd.)
Riders La. *Hav* —5E **21**
(in two parts)
Ridge Clo. *Water* —1C **6**
Ridgeway Clo. *Ports* —2D **28**
Ridgeway, The. *Fare* —2E **27**
Ridgway. *Hav* —2D **32**
Ridings, The. *Ports* —1B **42**
Rimington Rd. *Water* —4G **9**
Ringwood Ho. *Hav* —4F **21**
Ringwood Rd. *S'sea* —4H **51**
Ripley Gro. *Ports* —5C **42**
Ripon Ct. *Gos* —2H **47**
Ripon Gdns. *Water* —6B **10**
Rise, The. *Water* —1F **31**
Ritchie Clo. *Hay I* —4C **54**
Riverdale Av. *Water* —2A **20**
Riverhead Clo. *S'sea* —2H **51**
River La. *Fare* —3E **13**
Rivermead Ct. *Ems* —6E **23**
Riverside Av. *Fare* —6D **14**
Riverside Gdns. *Hav* —1F **33**
Riverside M. *Wick* —2A **14**
Riverside Ter. *Ems* —3E **35**
River's St. *S'sea*
—3D **50** (4H **5**)
River St. *Ems* —5F **23**
River Way. *Hav* —6G **21**
Roads Hill. *Water* —4A **6**
Road Vw. *Ports* —5G **41**
Robert Mack Ct. *Ports*
—2B **50** (3C **4**)
Roberts Clo. *Wick* —1A **14**
Roberts Rd. *Gos* —1B **48**
Robina Clo. *Water* —2A **20**
Robin Gdns. *Water* —3F **9**
Robins Clo. *Fare* —2E **37**
Robinson Ct. *Fare* —2A **28**
Robinson Rd. *Fare* —4D **36**
Robinson Way. *Ports* —3E **43**
Rochester Ct. *Gos* —2H **47**
Rochester Rd. *S'sea* —4F **51**
Rochford Rd. *Ports* —3H **29**
Rockbourne Clo. *Hav* —5C **20**
Rockingham Way. *Fare*
—3H **27**
Rockrose Way. *Ports* —1E **29**
Rockville Dri. *Water* —2G **19**
Rodney Clo. *Gos* —6C **38**
Rodney Ho. *Gos* —3F **49**
Rodney Rd. *S'sea* —2F **51**
Rodney Way. *Water* —1B **10**
Roebuck Av. *Fare* —3F **13**
Roebuck Clo. *Ports* —4B **30**

Rogate Gdns. *Fare* —2A **28**
Rogate Ho. *Ports* —1D **50**
Rogers Clo. *Gos* —1D **48**
Rogers Ho. *Lee S* —2D **46**
Rogers Mead. *Hay I* —3B **44**
Roland Clo. *Water* —1B **10**
Roman Gro. *Fare* —5B **28**
Roman Way. *Hav* —1C **32**
Romsey Av. *Fare* —3G **27**
Romsey Av. *Ports* —1H **51**
Romsey Rd. *Water* —3C **6**
Romyns Ct. *Fare* —2H **25**
Rooke Ho. *Ports* —2C **4**
Rookery Av. *White* —2A **12**
Rookery, The. *Ems* —2E **35**
Rookes Clo. *Water* —1B **10**
Rooksbury Cft. *Hav* —4G **21**
Rooksway Gro. *Fare* —3F **27**
Rookwood Vw. *Water* —2B **8**
Ropewalk, The. *Fare* —3B **26**
Ropley Rd. *Hav* —4H **21**
Rosebay Ct. *Water* —4H **19**
Rosebery Av. *Ports* —4C **30**
Rosecott. *Horn* —1D **10**
Rosedale Clo. *Fare* —3B **24**
Rosehill. *Water* —1A **10**
Roselands. *Water* —2A **10**
Rosemary Gdns. *White*
—1A **12**
Rosemary La. *Ports*
—2A **50** (3B **4**)
Rosemary Wlk. *Lee S* —1D **46**
Rosemary Way. *Cowp* —3B **10**
Rosery, The. *Gos* —6D **48**
Rosetta Rd. *S'sea* —3H **51**
Rosewood. *Gos* —4D **38**
Rosewood Gdns. *Water* —2G **7**
Rosina Clo. *Water* —1B **20**
Roslyn Ho. *S'sea*
—4C **50** (6G **5**)
Ross Way. *Lee S* —6H **37**
Rostrevor La. *S'sea* —6E **51**
Rotherwick Clo. *Hav* —4H **21**
Rothesay Rd. *Gos* —6G **39**
Rothwell Clo. *Ports* —2E **29**
Roundhouse Ct. *Hay I* —5D **54**
Roundhouse Mdw. *Ems*
—4E **35**
Roundway. *Water* —1H **19**
Rowallan Av. *Gos* —5C **38**
Rowan Av. *Water* —5B **10**
Rowan Clo. *Lee S* —2D **46**
Rowan Ct. *S'sea* —3F **51**
Rowan Rd. *Hav* —6H **21**
Rowan Way. *Fare* —3D **24**
Rowbury Rd. *Hav* —3D **20**
Rowena Ct. *S'sea* —4D **50**
(off Outram Rd.)
Rowes All. *Ports*
—3H **49** (5A **4**)
Rowin Clo. *Hay I* —5F **55**
Rowland Rd. *Fare* —1H **25**
Rowland Rd. *Ports* —2C **28**
Rowlands Av. *Water* —6G **9**
Rowlands Castle Rd.
Horn & Ids —1D **10**
Rowner Clo. *Gos* —4C **38**
Rowner La. *Gos* —3C **38**
Rowner Rd. *Gos* —3A **38**
Rowner Wlk. *Gos* —5C **38**
(in two parts)
Rownhams Rd. *Hav* —4D **20**
Row Wood La. *Gos* —4B **38**
Royal Albert Wlk. *S'sea*
—5E **51**
Royal Gdns. *Row C* —6G **11**
Royal Ga. *S'sea* —5H **51**
Royal Naval Cotts. *S'wick*
—3D **16**

Royal Sovereign Av. *Fare*
—6A **26**
Royal Way. *Water* —2A **20**
Rudgwick Clo. *Fare* —3H **27**
Rudmore Ct. *Ports* —4G **41**
Rudmore Rd. *Ports* —5G **41**
Rudmore Roundabout. *Ports*
—5H **41**
Rudmore Sq. *Ports* —5G **41**
Rugby Rd. *S'sea* —3E **51**
Runnymede. *Fare* —5F **13**
Rushmere Wlk. *Hav* —3D **20**
Ruskin Rd. *S'sea* —3G **51**
Ruskin Way. *Water* —3H **9**
Russell Churcher Ct. *Gos*
—6F **39**
Russell Clo. *Lee S* —1D **46**
Russell Pl. *Fare* —2B **26**
Russell Rd. *Hav* —6F **21**
Russell St. *Lee S* —2D **46**
Russell St. *Gos* —1C **48**
Russet Gdns. *Ems* —3F **35**
Rustington Ho. *Ports* —2G **5**
Rydal Clo. *Ports* —2F **29**
Rydal Ho. *Ports* —2F **29**
Rydal Rd. *Gos* —5G **39**
Ryde Pl. *Lee S* —3E **47**
Ryecroft. *Hav* —2H **33**

Sabre Rd. *Ems* —2H **45**
Sackville St. *S'sea*
(in two parts) —3C **50** (5F **5**)
Sadlers Wlk. *Ems* —3E **35**
Saffron Way. *White* —2A **12**
Sage Clo. *Water* —3A **20**
Sainsbury Lodge. *Ports*
(off Lucknow St.) —2E **51**
St Agathas Way. *Ports*
—1C **50** (1F **5**)
St Albans Ct. *Gos* —2H **47**
St Alban's Rd. *Hav* —5C **20**
St Albans Rd. *S'sea* —4F **51**
St Andrew Clo. *Water* —3C **6**
St Andrews Ct. *Ports*
—3B **50** (4E **5**)
St Andrew's Rd. *Farl* —3H **31**
St Andrew's Rd. *Gos* —3D **48**
St Andrew's Rd. *Hay I* —5D **54**
St Andrew's Rd. *S'sea*
—4D **50** (6H **5**)
St Anne's Gro. *Fare* —4H **25**
St Ann's Cres. *Gos* —1C **48**
St Ann's Rd. *Horn* —6C **6**
St Ann's Rd. *S'sea* —4F **51**
St Aubin's Pk. *Hay I* —4H **53**
St Augustine Rd. *S'sea* —5F **51**
St Barbara Way. *Ports* —1B **42**
St Bartholomew's Gdns. *S'sea*
—4D **50**
St Catherine's Rd. *Hay I*
—4G **53**
St Catherine St. *S'sea* —6D **50**
St Catherines Way. *Fare*
—2E **27**
St Chad's Av. *Ports* —3A **42**
St Christopher Av. *Fare*
—6B **14**
St Christophers Gdns. *Gos*
—3C **38**
St Christophers Rd. *Hav*
—5C **20**
St Clares Av. *Hav* —2D **20**
St Clares Ct. *Hav* —3D **20**
St Colman's Av. *Ports* —3C **30**
St Davids Ct. *Gos* —1G **47**
St David's Rd. *Clan* —2G **7**
St David's Rd. *S'sea* —3D **50**
St Denys Wlk. *Hav* —3D **20**

St Edmondsbury Ct. *Gos*
(off Anson Clo.) —2H **47**
St Edward's Rd. *Gos* —3D **48**
St Edwards Rd. *S'sea* —4C **50**
St Edwards Ter. *Gos* —1C **48**
St Faith's Clo. *Gos* —2C **48**
St Faith's Rd. *Ports*
—1D **50** (1H **5**)
St Francis Ct. *Ports* —1A **42**
St Francis Pl. *Hav* —6E **21**
St Francis Rd. *Gos* —6E **49**
St Georges Av. *Hav* —2H **33**
St George's Bus. Cen. *Ports*
—2A **50** (3C **4**)
St George's Ct. *Fare* —3B **26**
St George's Ct. *S'sea* —4B **50**
St George's Ind. Cen. *S'sea*
—2G **51**
St George's Rd. *Cosh* —3B **30**
St George's Rd. *Hay I* —4H **53**
St George's Rd. *Ports*
—3A **50** (4C **4**)
St George's Rd. *S'sea* —5G **51**
St George's Sq. *Ports*
—2A **50** (3C **4**)
St George's Wlk. *Water*
(off Hambledon Rd.) —2G **19**
St George's Way. *Ports*
—2A **50** (3C **4**)
St Giles Way. *Water* —3C **6**
St Helen's Clo. *S'sea* —5F **51**
St Helen's Ct. *S'sea* —6E **51**
(off St Helen's Pde.)
St Helens Ho. *Fare* —3E **25**
St Hellen's Rd. *Ports* —3F **31**
St Herman's Cvn. Est. *Hay I*
—5E **55**
St Herman's Rd. *Hay I* —5E **55**
St Hilda Av. *Water* —3C **6**
St Hubert Rd. *Water* —3C **6**
St James Clo. *Water* —1C **6**
St James' Rd. *Ems* —3D **34**
St James's Rd. *S'sea*
—3C **50** (5F **5**)
St James's St. *Ports*
—2B **50** (2D **4**)
St James Way. *Fare* —3A **28**
St John's Av. *Water* —5G **19**
St John's Clo. *Gos* —2D **48**
St Johns Clo. *Hay I* —5A **54**
St John's Ct. *Ports* —4G **41**
St Johns M. *S'sea* —4D **50**
St John's Rd. *Cosh* —3B **30**
St Johns Rd. *Ems* —2H **35**
St John's Rd. *Hav* —5C **20**
St John's Sq. *Gos* —2D **48**
St Leonard's Av. *Hay I* —3C **54**
St Leonards Clo. *Fare* —6A **12**
St Luke's Rd. *Gos* —1C **48**
St Margarets La. *Fare* —2A **24**
St Margaret's Rd. *Hay I*
—4C **54**
St Mark's Clo. *Gos* —6D **48**
St Marks Ct. *Gos* —2B **48**
St Mark's Pl. *Gos* —5D **48**
St Mark's Rd. *Gos* —6C **48**
St Mark's Rd. *Ports* —4H **41**
St Martin's Ho. *S'sea* —6D **50**
St Mary's Av. *Gos* —5C **48**
St Mary's Ho. *Ports* —1F **51**
St Mary's Rd. *Fare* —1E **37**
St Mary's Rd. *Hay I* —4B **54**
St Mary's Rd. *Ports* —1E **51**
St Matthew's Ct. *Gos* —2F **49**
St Matthew's Rd. *Ports*
—3B **30**
St Michael's Building. *Ports*
—2B **50** (3E **5**)
St Michaels Ct. *Ports* —2F **29**

St Michael's Gro. *Fare* —4H **25**
St Michael's Ho. *Fare* —3H **25**
St Michael's Rd. *Hav* —5C **20**
St Michael's Rd. *Ports*
—3B **50** (4E **5**)
St Michaels Way. *Water* —3C **6**
St Nicholas Av. *Gos* —5B **38**
St Nicholas Rd. *Hav* —6C **20**
St Nicholas Row. *Wick*
—2A **14**
St Nicholas St. *Ports*
—4A **50** (6C **4**)
St Paul's Rd. *S'sea*
—3B **50** (5E **5**)
St Paul's Sq. *S'sea*
—3B **50** (5E **5**)
St Peter's Av. *Hay I* —3E **45**
St Peters Gro. *S'sea*
—4D **50** (6H **5**)
St Peter's Rd. *Hay I* —1E **45**
St Peter's Sq. *Ems* —3D **34**
St Piran's Av. *Ports* —6C **42**
St Quentin Ho. *Fare* —4G **25**
(off Bishopsfield Rd.)
St Ronan's Av. *S'sea* —5E **51**
St Ronan's Rd. *S'sea* —6E **51**
St Sebastian Cres. *Fare*
—6B **14**
St Simon's Rd. *S'sea* —5D **50**
St Stephen's Rd. *Ports* —5A **42**
St Swithun's Rd. *Ports* —3B **42**
St Theresa's Clo. *Hav* —6C **20**
St Thomas Av. *Hay I* —4H **53**
St Thomas Clo. *Fare* —6C **14**
St Thomas's Ct. *Ports*
—3A **50** (5C **4**)
St Thomas's Rd. *Gos* —5H **39**
St Thomas's St. *Ports*
—4A **50** (6B **4**)
St Ursula Gro. *S'sea*
—4D **50** (6H **5**)
St Valerie Rd. *Gos* —4D **48**
St Vincent Cres. *Water* —1B **10**
St Vincent Rd. *Gos* —1D **48**
St Vincent Rd. *S'sea* —5D **50**
St Vincent St. *S'sea*
—3C **50** (4E **5**)
Salcombe Av. *Ports* —4C **42**
Salerno Dri. *Gos* —3B **48**
Salerno Ho. *Fare* —4H **25**
Salerno Rd. *Ports* —1H **41**
Salet Way. *Water* —6B **10**
Salisbury Rd. *Cosh* —4C **30**
Salisbury Rd. *S'sea* —5F **51**
Salisbury Ter. *Lee S* —2D **46**
Salterns Av. *S'sea* —2H **51**
Salterns Clo. *Hay I* —4B **54**
Salterns Est. *Fare* —4B **26**
Salterns La. *Fare* —4B **26**
Salterns La. *Hay I* —4D **54**
Saltern's Rd. *Fare & Lee S*
—5D **36**
Saltings, The. *Hav* —5F **33**
Saltings, The. *Ports* —4G **31**
Saltmarsh La. *Hay I* —2A **54**
Saltmeat La. *Gos* —1F **49**
Salvia Clo. *Water* —3A **20**
Sampson Rd. *Fare* —5H **25**
Sampson Rd. *Ports*
—1H **49** (1A **4**)
Samson Clo. *Gos* —6D **38**
Samuel Rd. *Ports* —1F **51**
Sandcroft Clo. *Gos* —4A **48**
Sanderling Rd. *S'sea* —2A **52**
Sanderlings, The. *Hay I*
—5C **54**
Sanderson Cen., The. *Gos*
—2D **48**
Sandford Av. *Gos* —3H **47**

Sandhill La. *Lee S* —5A **38**
(in two parts)
Sandhurst Ct. *S'sea* —4D **50**
San Diego Rd. *Gos* —1D **48**
Sandisplatt. *Fare* —3E **25**
Sandleford Rd. *Hav* —2D **20**
Sandlewood Clo. *Water* —2G **7**
Sandown Clo. *Gos* —4H **47**
Sandown Heights. *Fare* —3E **25**
Sandown Rd. *Ports* —4A **30**
Sandpiper Clo. *Water* —6A **6**
Sandpipers. *Ports* —4G **31**
Sandport Gro. *Fare* —4H **27**
Sandringham La. *Ports* —2E **51**
Sandringham Rd. *Fare* —3D **24**
Sandringham Rd. *Ports*
—2E **51**
Sandy Beach Est. *Hay I*
—6H **55**
Sandy Brow. *Water* —5F **19**
Sandyfield Cres. *Water* —4G **9**
Sandy La. *Fare* —3B **24**
Sandy Point. *Hay I* —4H **55**
Sandy Point Rd. *Hay I* —6G **55**
Sanross Clo. *Fare* —4C **36**
Sapphire Ridge. *Water* —2A **20**
Sarah Robinson Ho. *Ports*
—2A **50** (2C **4**)
Saunders M. *S'sea* —5H **51**
Savernake Clo. *Gos* —3D **38**
Saville Clo. *Gos* —4B **48**
Saville Gdns. *Fare* —6A **14**
Savoy Ct. *S'sea* —4D **50**
Saxley Ct. *Hav* —3C **20**
Saxon Clo. *Fare* —2H **27**
Saxon Clo. *Water* —2C **6**
Scafell Av. *Fare* —3F **25**
Scholars' Wlk. *Ports* —4E **31**
School La. *Den* —2A **8**
School La. *Ems* —4F **23**
(Long Corpse La.)
School La. *Ems* —3D **34**
(West St.)
School La. *Ports* —6H **41**
School Rd. *Gos* —4F **39**
School Rd. *Hav* —2E **33**
School Rd. *Wick* —2A **14**
Schooners Clo. *Lee S* —1D **46**
Schooner Way. *S'sea* —1A **52**
Scimitars, The. *Fare* —2D **36**
Scotney Ct. *Hav* —3H **21**
Scott Clo. *Fare* —1E **37**
Scott Ho. *Ports* —3G **41**
Scott Rd. *Hils* —6B **30**
Scott Rd. *Navy* —1H **49** (1A **4**)
Scratchface La. *Hav* —1B **32**
Scratchface La. *Water* —5H **19**
(in three parts)
Seabird Way. *Fare* —4B **26**
Sea Crest Rd. *Lee S* —2D **46**
Seafarers Wlk. *Hay I* —6H **55**
Seafield Pk. Rd. *Fare* —4D **36**
Seafield Rd. *Fare* —4H **27**
Seafield Rd. *Ports* —4C **42**
Seafields. *Ems* —3C **34**
Seafield Ter. *Gos* —4E **49**
Sea Front. *Hay I* —4G **53**
Sea Front Est. *Hay I* —5D **54**
Seager's Ct. *Ports*
—4H **49** (6A **4**)
Sea Gro. Av. *Hay I* —5C **54**
Seagrove Rd. *Ports* —4H **41**
Seagull Clo. *S'sea* —1A **52**
Seagull La. *Ems* —2D **34**
(in two parts)
Seagulls, The. *Lee S* —3E **47**
Seahorse Wlk. *Gos* —2F **49**
Sea Kings. *Fare* —2D **36**
(in two parts)

Sea La. *Fare* —5E **37**
Seamead. *Fare* —5E **37**
Sea Mill Gdns. *Ports*
—2A **50** (3C **4**)
Seathrift Clo. *Lee S* —1C **46**
Seathwaite Ho. *Ports* —2F **29**
Seaton Av. *Ports* —5C **42**
Seaton Clo. *Fare* —3E **37**
Seaview Av. *Fare* —2C **28**
Seaview Ct. *Gos* —4H **47**
Seaview Ct. *Lee S* —2D **46**
Sea Vw. Rd. *Hay I* —4E **55**
Sea Vw. Rd. *Ports* —2E **31**
Seaward Tower. *Gos* —3G **49**
Seaway Cres. *S'sea* —3B **52**
Seaway Gro. *Fare* —5A **28**
Sebastian Gro. *Water* —1A **20**
Second Av. *Farl* —4F **31**
Second Av. *Hav* —1H **33**
Second Av. *Ports* —3A **30**
Second Av. *S'brne* —3H **35**
Sedgefield Clo. *Ports* —3D **24**
Sedgeley Gro. *Gos* —5G **39**
Sedgewick Clo. *Gos* —5C **38**
Sedgley Clo. *S'sea*
—3D **50** (4H **5**)
Segensworth E. Ind. Est. *Fare*
(in two parts) —4A **12**
Segensworth N. Ind. Est. *Fare*
—4A **12**
Segensworth Rd. *Fare* —5A **12**
Selangor Av. *Ems* —2A **34**
Selborne Av. *Hav* —4D **20**
Selborne Gdns. *Gos* —3B **48**
Selbourne Rd. *Hav* —2E **33**
Selbourne Ter. *Ports* —2E **51**
Selhurst Ho. *Ports* —1D **50**
Selma Ct. *S'sea* —5D **50**
Selsey Av. *Gos* —5G **39**
Selsey Av. *S'sea* —5G **51**
Selsey Clo. *Hay I* —5H **55**
Selsmore Av. *Hay I* —5E **55**
Selsmore Rd. *Hay I* —4C **54**
Sennen Pl. *Port S* —4E **29**
Sentinel Clo. *Water* —6B **10**
Serpentine Rd. *Fare* —6B **14**
Serpentine Rd. *S'sea* —5C **50**
(Clarence Pde.)
Serpentine Rd. *S'sea* —5C **50**
(Portland Rd.)
Serpentine Rd. *Wid* —6E **19**
Service Rd. *Ports* —3H **29**
Settlers Clo. *Ports*
—1D **50** (1H **5**)
Sevenoaks Rd. *Ports* —3A **30**
Severn Clo. *Fare* —3G **27**
Severn Clo. *Ports* —2F **29**
(in two parts)
Seymour Clo. *Ports* —6H **41**
Seymour Rd. *Lee S* —3D **46**
Shackleton Ho. *Ports* —3A **42**
Shackleton Rd. *Gos* —5D **38**
Shadwell Ct. *Ports* —3G **41**
Shadwell Rd. *Ports* —3H **41**
Shaftesbury Av. *Water* —5F **19**
Shaftesbury Rd. *Gos* —3E **49**
(in two parts)
Shaftesbury Rd. *S'sea* —5C **50**
Shakespeare Gdns. *Water*
—4G **9**
Shakespeare M. *Titch* —3C **24**
(off East St.)
Shakespeare Rd. *Ports* —1E **51**
Shakespeare Ter. *Ports* —6C **4**
Shalbourne Rd. *Gos* —6G **39**
Shaldon Rd. *Hav* —3H **21**
Shamrock Clo. *Gos* —3F **49**
Shamrock Enterprise Cen. *Gos*
—4F **39**

Shanklin Pl.—Stanford Ct.

Shanklin Pl. *Fare* —3E **25**
Shanklin Rd. *S'sea* —3E **51**
Shannon Clo. *Fare* —1F **25**
Shannon Rd. *Fare* —1D **36**
(Old St.)
Shannon Rd. *Fare* —6A **26**
(Royal Sovereign Av.)
Sharlands Rd. *Fare* —5A **26**
Sharon Ct. *Gos* —2E **49**
Sharpness Clo. *Fare* —3E **25**
Sharps Clo. *Ports* —2D **42**
Sharps Rd. *Hav* —4H **21**
Shawcross Ind. Pk. *Ports*
—6C **30**
Shawfield Rd. *Hav* —2G **33**
Shawford Gro. *Hav* —4C **20**
Shearer Rd. *Ports* —6A **42**
Shearwater Av. *Fare* —2E **27**
Shearwater Clo. *Gos* —3B **38**
Shearwater Dri. *Ports* —4H **31**
Sheepwash La. *Water* —6A **8**
Sheepwash Rd. *Horn* —1D **10**
(Havant Rd.)
Sheepwash Rd. *Horn* —4C **10**
(Padnell Rd.)
Sheffield Ct. *Gos* —1G **47**
Sheffield Rd. *Ports* —2E **51**
Shelford Rd. *S'sea* —2H **51**
Shelley Av. *Ports* —2C **28**
Shelley Gdns. *Water* —4G **9**
Shenley Clo. *Fare* —1E **25**
Shepards Clo. *Fare* —3E **25**
Shepheard's Way. *Gos* —5E **49**
Sheppard Clo. *Water* —1A **10**
Sherfield Av. *Hav* —4G **21**
Sheringham Rd. *Ports*
—2H **29**
Sherwin Wlk. *Gos* —4C **48**
Sherwood Rd. *Gos* —3C **48**
Shetland Clo. *Ports* —2B **30**
Shillinglee. *Water* —5G **19**
Shipbuilding Rd. *Ports*
—1H **49**
Ship Leopard St. *Ports*
—2A **50** (2B **4**)
Shipton Grn. *Hav* —3D **20**
Shire Clo. *Water* —6B **10**
Shirley Av. *S'sea* —3A **52**
Shirley Rd. *S'sea* —5E **51**
Shirrel Ct. *Gos* —4H **47**
Sholing Clo. *Hav* —3D **20**
Shoot La. *Lee S* —5H **37**
Shore Av. *S'sea* —1H **51**
Shorehaven. *Ports* —3D **28**
Short Rd. *Fare* —3C **36**
Short Row. *Navy*
—1A **50** (1B **4**)
Shrubbery Clo. *Fare* —4A **28**
Shrubbery, The. *Gos* —6F **39**
Sibland Clo. *Fare* —3F **25**
Sidlesham Clo. *Hay I* —5H **55**
Sidmouth Av. *Ports* —5C **42**
Silchester Rd. *Ports* —6D **42**
Silkstead Av. *Hav* —3F **21**
Silver Birch Av. *Fare* —3G **25**
Silverdale Dri. *Water* —5E **9**
Silverlock Clo. *Ports* —5H **41**
Silverlock Pl. *Fare* —4F **23**
Silver Sands Gdns. *Hay I*
—5D **54**
Silver St. *S'sea* —4B **50** (6E **5**)
Silverthorne Way. *Water*
—1F **19**
Silvertrees. *Ems* —1D **34**
Silvester Rd. *Water* —4G **9**
Simmons Grn. *Hay I* —4E **55**
Simpson Clo. *Fare* —2A **28**
Simpson Rd. *Cosh* —2B **30**
Simpson Rd. *Ports* —4G **41**

Sinah La. *Hay I* —4G **53**
Sinah Warren Holiday Village.
Hay I —3F **53**
Singleton Gdns. *Water* —1D **6**
Sirius Ct. *S'sea* —3C **50** (5F **5**)
Sirius Ho. *S'sea* —5D **50**
Siskin Gro. *Water* —3A **20**
Siskin Rd. *S'sea* —2A **52**
Sissinghurst Rd. *Fare* —4G **27**
Sixth Av. *Ports* —3A **30**
Skew Rd. *Fare* —1A **28**
Skipper Way. *Lee S* —1D **46**
Skylark Ct. *S'sea* —2A **52**
Skylark Meadows. *Fare*
—4B **12**
Slater App. *Ports* —4F **41**
Slindon Clo. *Water* —2H **7**
Slindon Gdns. *Hav* —2F **33**
Slindon St. *Ports*
—2C **50** (2G **5**)
Slingsby Clo. *Ports*
—4B **50** (6D **4**)
Slipper Cvn. Pk. *Ems* —3E **35**
Slipper Rd. *Ems* —3E **35**
Slipway, The. *Port S* —4E **29**
Sloane Stanley Ct. *Gos* —1D **48**
Slocum Ho. *Gos* —3E **49**
Smallcutts Av. *Ems* —2H **35**
Smeaton St. *Ports* —3G **41**
Smeeton Rd. *Lee S* —1D **46**
Smith St. *Gos* —3C **48**
Smithy, The. *Water* —3A **8**
Snape Clo. *Gos* —5C **38**
Snowberry Cres. *Hav* —6H **21**
Snowdon Dri. *Fare* —3G **25**
Soake Rd. *Water* —4D **8**
Soberton Ho. *Ports* —1H **5**
Soberton Rd. *Hav* —5E **21**
Soldridge Clo. *Hav* —3A **22**
Solent Bus. Pk. *White* —2A **12**
Solent Cen. *White* —2A **12**
Solent Dri. *Hay I* —5B **54**
Solent Heights. *Lee S* —2C **46**
Solent Heights. *S'sea* —4C **52**
Solent Ho. *Fare* —4A **26**
Solent Ho. *Hav* —6G **21**
Solent Rd. *Fare* —4C **36**
Solent Rd. *Hav* —2D **32**
Solent Rd. *Ports* —3E **31**
Solent 27. *Ports* —5E **31**
Solent Vw. *Fare* —2H **27**
Solent Village. *White* —3A **12**
Solent Way. *Gos* —4A **48**
Solihull Ho. *S'sea*
—3B **50** (4E **5**)
Somborne Dri. *Hav* —4F **21**
Somerset Rd. *S'sea* —6D **50**
Somers Rd. *S'sea*
(in two parts) —3C **50** (5G **5**)
Somers Rd. N. *Ports* —2E **51**
Somervell Clo. *Gos* —5C **48**
Somervell Dri. *Fare* —6H **13**
Somerville Pl. *Ports* —3G **41**
Sonnet Way. *Water* —1B **20**
Sopley Ct. *Hav* —3H **21**
Sorrel Clo. *Water* —3A **20**
Sorrel Dri. *White* —2A **12**
Southampton Hill. *Fare* —2B **24**
Southampton Ho. *Hav* —4G **21**
Southampton Rd. *Fare* —1B **26**
Southampton Rd. *Ports*
—3C **28**
Southampton Row. *Ports*
—2A **50** (2C **4**)
South Av. *Ports* —1A **42**
Southbourne Av. *Ems* —3F **35**
Southbourne Av. *Ports* —3D **30**
Southbrook Clo. *Hav* —3F **33**
Southbrook Rd. *Hav* —4F **33**

Southcliff. *Lee S* —6G **37**
South Clo. *Gos* —5B **48**
South Clo. *Hav* —3G **33**
Southcroft Rd. *Gos* —2B **48**
S. Cross St. *Gos* —3F **49**
Southdown Rd. *Cosh* —3C **30**
Southdown Rd. *Water & Horn*
(in three parts) —3C **6**
Southdown Vw. *Water* —5E **9**
Southernhay. *Water* —3B **8**
Southfield Wlk. *Hav* —2C **20**
Southlands. *Ports* —3C **30**
South La. *S'brne* —1H **35**
South La. *Water* —2F **7**
(Drift Rd.)
South La. *Water* —4G **7**
(North La.)
Southleigh Gro. *Hay I* —3B **54**
Southleigh Rd. *Hav & Ems*
(in two parts) —2H **33**
S. Lodge. *Fare* —2D **24**
Southmead Rd. *Fare* —2F **25**
Southmoor La. *Hav* —3D **32**
South Normandy. *Ports*
—3A **50** (5C **4**)
South Pde. *S'sea* —6D **50**
South Pl. *Lee S* —3E **47**
South Rd. *Cosh* —4F **31**
South Rd. *Hay I* —4B **54**
South Rd. *Horn* —4C **6**
(in two parts)
South Rd. *Ports* —6A **42**
South Rd. *S'wick* —1E **29**
(Hilltop Rd.)
South Rd. *S'wick* —3E **17**
(Main Dri.)
Southsea Esplanade. *S'sea*
—6F **51**
Southsea Ter. *S'sea* —4B **50**
Southsea Works Ind. Est.
S'sea —2G **51**
South Spur. *S'wick* —1F **29**
South St. *Ems* —3D **34**
South St. *Gos* —4D **48**
South St. *Hav* —3F **33**
South St. *S'sea* —4C **50** (6E **5**)
South St. *Titch* —3B **24**
South Ter. *Ports*
—2A **50** (2B **4**)
South Vw. *Cowp* —3A **10**
Southwater. *Lee S* —1B **46**
Southway. *Gos* —2C **38**
Southway. *Titch* —6A **12**
Southways. *Stub* —3F **37**
Southwick Av. *Fare* —2C **28**
Southwick By-Pass. *S'wick*
—3B **16**
Southwick Ct. *Fare* —5A **26**
Southwick Hill Rd. *Cosh*
—1H **29**
Southwick Ho. *Ports* —1H **5**
Southwick Rd. *Den* —3A **8**
Southwick Rd. *S'wick* —4D **16**
Southwick Rd. *Wick & N Boar*
—2B **14**
Southwood Rd. *Hay I* —5E **55**
Southwood Rd. *Ports* —1A **42**
Sovereign Av. *Gos* —6A **40**
Sovereign Clo. *S'sea* —2B **52**
Sovereign Dri. *S'sea* —2A **52**
Sovereign Ga. *Ports* —1C **50**
(off Staunton St.)
Sovereign La. *Water* —6G **19**
Sparrow Clo. *Water* —3H **9**
Sparrow Ct. *Lee S* —6H **37**
Sparsholt Clo. *Hav* —4C **20**
Spartan Clo. *Ems* —2H **45**
Spartan Clo. *Fare* —6F **25**
Specks La. *S'sea* —2G **51**

Speedfield Pk. Retail Pk. *Fare*
—6B **26**
Spencer Clo. *Hay I* —4C **54**
Spencer Ct. *Fare* —3G **37**
Spencer Ct. *S'sea* —5D **50**
Spencer Dri. *Lee S* —2D **46**
Spencer Gdns. *Water* —3G **9**
Spencer Rd. *Ems* —5C **22**
Spencer Rd. *S'sea* —5F **51**
Spenlow Clo. *Ports* —6H **41**
Spice Quay. *Ports*
—4A **50** (6A **4**)
Spicer Ho. *Ports* —1D **4**
Spicer St. *Ports* —1C **50** (1G **5**)
Spicewood. *Fare* —1G **25**
Spindle Clo. *Hav* —6A **22**
Spindle Warren. *Hav* —6A **22**
Spinnaker Clo. *Gos* —6D **38**
Spinnaker Clo. *Hay I* —3A **54**
Spinnaker Dri. *Ports* —1H **41**
Spinnaker Grange. *Hay I*
—1E **45**
Spinnaker Vw. *Hav* —2A **32**
Spinney Clo. *Water* —3G **9**
Spinney, The. *Den* —4B **8**
Spinney, The. *Fare* —2F **27**
Spinney, The. *Gos* —4D **38**
Spinney, The. *Water* —1A **10**
Spithead Av. *Gos* —6E **49**
Spithead Heights. *S'sea*
—4C **52**
Spithead Ho. *Fare* —4A **26**
Spring Ct. *Lee S* —2D **46**
Springcroft. *Gos* —6B **26**
Springfield Clo. *Hav* —1B **32**
Springfield Clo. *Wick* —1A **14**
Springfield Way. *Fare* —4E **37**
Spring Garden La. *Gos* —2E **49**
Spring Gdns. *Ems* —3D **34**
Spring Gdns. *Ports*
—2C **50** (3E **5**)
Springles La. *Fare* —4B **12**
Spring St. *Ports* —2C **50** (2F **5**)
Spring, The. *Water* —4B **8**
Spring Va. *Water* —3B **10**
Spring Wlk. *Ports*
—1C **50** (1F **5**)
Springwood Av. *Water* —3H **19**
Spruce Av. *Water* —2A **20**
Spruce Wlk. *Lee S* —1D **46**
Spurlings Rd. *Fare* —5D **14**
Spur Rd. *Cosh* —3B **30**
Spur Rd. *Water* —2G **19**
Spur, The. *Gos* —5A **40**
Spur, The. *Wick* —1A **14**
Square, The. *Gos* —5A **40**
Square, The. *Titch* —3B **24**
Square, The. *Westb* —6F **23**
Square, The. *Wick* —2A **14**
(in two parts)
Stacey Ct. *Hav* —2D **20**
Stafford Rd. *S'sea* —4D **50**
Staffwise Bus. Cen. *Cosh*
—4B **30**
Stagshorn Rd. *Water* —6C **6**
Stag Way. *Fare* —4F **13**
Stakes Hill Rd. *Water* —2G **19**
Stakes Rd. *Water* —4E **19**
Stallard Clo. *Ems* —2C **34**
Stamford Av. *Hay I* —4A **54**
Stamford St. *Ports* —1E **51**
Stampsey Ct. *Ports* —3G **41**
Stamshaw Promenade. *Ports*
—1H **41**
Stamshaw Rd. *Ports* —3H **41**
Stanbridge Rd. *Hav* —6H **21**
Standard Way. *Fare* —6C **14**
Stanford Clo. *Ports* —3H **29**
Stanford Ct. *Hav* —4H **21**

Stanhope Ga. *S'sea* —5C **50**
Stanhope Rd. *Ports*
　　　　—2C **50** (2F **5**)
Stanley Av. *Ports* —5D **42**
Stanley Clo. *Fare* —2G **25**
Stanley Clo. *Gos* —4G **39**
Stanley La. *S'sea* —5C **50**
Stanley Rd. *Ems* —3E **35**
Stanley Rd. *Ports* —4G **41**
Stanley St. *S'sea* —5C **50**
Stansted Clo. *Row C* —5H **11**
Stansted Cres. *Hav* —3H **21**
Stansted Rd. *S'sea* —3D **50**
Stanswood Rd. *Hav* —3D **20**
Staple Clo. *Water* —6F **9**
Staplers Reach. *Gos* —3B **38**
Stapleton Rd. *Ports* —5C **42**
Stares Clo. *Gos* —6C **38**
Starina Gdns. *Water* —1B **20**
Starling Way. *Lee S* —6H **37**
Station App. *Ems* —2D **34**
Station App. *Fare* —2A **26**
Station App. *Ports*
　　　　—2A **50** (3B **4**)
Station Clo. *Wick* —1A **14**
Station Clo. *Dray* —5E **31**
Station Rd. *Gos* —6F **39**
Station Rd. *Hay I* —3H **53**
Station Rd. *Portc* —3B **28**
Station Rd. *Ports* —5C **42**
Station Rd. *Wick* —1A **14**
Station St. *Ports*
　　　　—2C **50** (2F **5**)
Staunton Av. *Hay I* —4H **53**
Staunton Rd. *Hav* —1E **33**
Staunton St. *Ports* —1C **50**
Stead Clo. *Hay I* —4D **54**
Steel St. *S'sea* —4B **50** (6E **5**)
Steep Clo. *Fare* —2A **28**
Steerforth Clo. *Ports* —5H **41**
Stein Rd. *Ems* —1H **35**
Stephen Clo. *Water* —5B **10**
Stephen Lodge. *S'sea* —4C **50**
Stephen Rd. *Fare* —2H **25**
Stephenson Clo. *Gos* —5C **48**
Stephenson Way. *Fare* —1A **24**
Stewart Pl. *Ports* —6A **42**
Stirling Av. *Water* —2H **19**
Stirling Ct. *Fare* —6G **13**
Stirling St. *Ports* —5H **41**
Stockbridge Clo. *Hav* —4H **21**
Stocker Pl. *Gos* —4D **38**
Stockheath La. *Hav* —1E **33**
Stockheath Rd. *Hav* —5E **21**
Stockheath Way. *Hav* —6F **21**
Stoke Gdns. *Gos* —3E **49**
Stoke Rd. *Gos* —3D **49**
Stokes Bay Mobile Home Pk.
　(in two parts)　*Gos* —5H **47**
Stokes Bay Rd. *Gos* —5H **47**
Stokeway. *Gos* —3E **49**
Stonechat Rd. *Water* —1A **10**
Stonecross Ho. *Ports* —5H **41**
Stone La. *Gos* —3D **48**
　(in two parts)
Stoneleigh Clo. *Fare* —3H **27**
Stoners Clo. *Gos* —2B **38**
Stone Sq. *Hav* —5F **21**
Stone St. *S'sea* —4B **50** (6E **5**)
Stony La. *Ports*
　　　　—1H **49** (1A **4**)
Storrington Rd. *Water* —2H **7**
Stow Cres. *Fare* —1F **25**
Stowe Rd. *S'sea* —3A **52**
Stradbrook. *Gos* —4B **38**
Strand, The. *Hay I* —6E **55**
Strand, The. *S'sea* —6D **50**
Stratfield Gdns. *Hav* —2D **20**
Stratfield Pk. *Water* —1E **19**

Stratford Ho. *S'sea*
　　　　—3C **50** (5F **5**)
Stratford Rd. *Water* —1A **20**
Strathmore Rd. *Gos* —3E **49**
Stratton Clo. *Ports* —3G **29**
Stride Av. *Ports* —1G **51**
Strode Rd. *Ports* —3G **41**
Strouden Ct. *Hav* —2D **20**
Strouden Ct. Precinct. *Hav*
　　　　—2D **20**
Stroud Grn. La. *Fare* —6F **25**
Stroudley Av. *Ports* —5E **31**
Stroudwood Rd. *Hav* —6F **21**
Stuart Clo. *Fare* —3E **37**
Stuart Ct. *Ports* —3B **30**
Stubbington Av. *Ports* —4A **42**
Stubbington Grn. *Fare* —2E **37**
Stubbington La. *Fare* —2F **37**
Studland Rd. *Lee S* —1C **46**
Sudbury Rd. *Ports* —3H **29**
Suffolk Cotts. *Gos* —4D **48**
Suffolk Rd. *S'sea* —4G **51**
Sullivan Clo. *Ports* —3C **28**
Sullivan Way. *Water* —4G **19**
Sultan Rd. *Ems* —2D **34**
Sultan Rd. *Ports* —6H **41**
Sumar Clo. *Fare* —6F **25**
Summerhill Rd. *Water* —4H **9**
Summerlands Wlk. *Hav*
　　　　—4H **21**
Summerleigh Wlk. *Fare*
　　　　—6F **25**
Sunbeam Way. *Gos* —4D **48**
Sunbury Ct. *Fare* —5G **13**
Sun Ct. *S'sea* —4H **5**
Suncourt Vs. *Gos* —5F **39**
Sunderton La. *Water* —2F **7**
Sundridge Clo. *Ports* —3A **30**
Sunningdale Clo. *Gos* —4C **38**
Sunningdale Rd. *Fare* —4B **28**
Sunningdale Rd. *Ports* —1G **51**
Sunnyheath. *Hav* —5E **21**
Sunnymead Dri. *Water* —5E **9**
Sunnyside Wlk. *Hav* —2D **20**
Sunny Wlk. *Ports*
　　　　—2H **49** (2A **4**)
Sunshine Av. *Hay I* —5D **54**
Sun St. *Ports* —2A **50** (3C **4**)
Suntrap Gdns. *Hay I* —5D **54**
Sunwood Rd. *Hav* —4D **20**
Surrey St. *Ports* —2C **50** (2F **5**)
Sussex Ct. *S'sea* —4C **50**
Sussex Pl. *Ports* —1C **50**
Sussex Rd. *S'sea* —4C **50**
Sussex Rd. *S'sea* —4C **50**
Sussex Ter. *S'sea* —4C **50**
Sutherland Rd. *S'sea* —4E **51**
Sutton Clo. *Cowp* —4F **9**
Sutton Clo. *Ports* —1D **42**
Sutton Rd. *Water* —4F **9**
Swallow Clo. *Hav* —6H **21**
Swallow Ct. *Lee S* —6H **37**
Swallow Ct. *Water* —1H **7**
Swallow Wood. *Fare* —5B **14**
Swanage Rd. *Lee S* —1C **46**
Swan Clo. *Ems* —3E **35**
Swancote. *Fare* —3F **27**
Swan Ct. *Gos* —1B **38**
Swanmore Rd. *Hav* —2D **20**
Swan Quay. *Fare* —3D **26**
Swans Wlk. *Hay I* —4E **55**
Swarraton Rd. *Hav* —6G **21**
Sway Ct. *Hav* —4H **21**
Swaythling Rd. *Hav* —3D **20**
Sweetbriar Gdns. *Water*
　　　　—4H **19**
Swift Clo. *Lee S* —6H **37**
Swift Clo. *Water* —6A **6**
Swinburn Gdns. *Water* —3H **9**

Swiss Rd. *Water* —2G **19**
Swivelton La. *Fare* —5G **15**
Sword Clo. *Gos* —5A **48**
Sword Clo. *Water* —2F **7**
Sword Sands Path. *Ports*
　　　　—6E **43**
Sword Sands Rd. *Ports*
　　　　—6E **43**
Sycamore Clo. *Clan* —2H **7**
Sycamore Clo. *Gos* —4D **38**
Sycamore Clo. *Water* —4G **9**
Sycamore Dri. *Hay I* —3A **54**
Sydenham Ct. *Ports* —2D **50**
Sydenham Ter. *Ports* —2D **50**
Sydmonton Ct. *Hav* —3H **21**
Sydney Ho. *Ports*
　　　　—1C **50** (1H **5**)
Sydney Rd. *Gos* —3D **48**
Sylvan Vw. *Water* —3H **19**
Sywell Cres. *Ports* —1D **42**

Tagdell La. *Horn* —5A **6**
Tait Pl. *Gos* —4D **38**
Talbot Clo. *Hav* —6D **20**
Talbot M. *S'sea* —3E **51**
Talbot Rd. *Fare* —1A **24**
Talbot Rd. *Hav* —6D **20**
Talbot Rd. *S'sea* —4E **51**
Tamar Clo. *Fare* —2G **27**
Tamar Down. *Water* —2A **20**
Tamarisk Clo. *Fare* —4E **37**
Tamarisk Clo. *S'sea* —4A **52**
Tamarisk Clo. *Water* —4A **20**
Tammy's Turn. *Fare* —3D **24**
Tamworth Ct. *Gos* —4D **48**
Tamworth Rd. *Ports* —1G **51**
Tanfield La. *Wick* —2A **14**
Tanfield Pk. *Wick* —2A **14**
Tangier Rd. *Ports* —6C **42**
Tanglewood. *Fare* —6A **14**
Tanglewood Clo. *Water* —5E **19**
Tangley Wlk. *Hav* —4H **21**
Tangyes Clo. *Fare* —2F **37**
Tankerton Clo. *Ports* —3A **30**
Tanneries Ind. Est., The. *Hav*
　　　　—2E **33**
Tanneries, The. *Titch* —3C **24**
Tanner La. *Fare* —5G **25**
Tanner's La. *Water* —2B **8**
Tanner's Ridge. *Water* —6G **19**
Tansy Clo. *Water* —3A **20**
Tarberry Cres. *Water* —6C **6**
Target Rd. *Ports* —2G **41**
Tarius Clo. *Gos* —2D **38**
Tarleton Rd. *Ports* —2F **29**
Tarn Ri. *Horn* —3C **6**
Tarrant Gdns. *Hav* —6D **20**
Taswell Rd. *S'sea* —5D **50**
Tattershall Cres. *Fare* —4H **27**
Tavistock Gdns. *Hav* —2H **33**
Tawny Owl Clo. *Fare* —1D **36**
Taylor Rd. *Gos* —5E **49**
Teal Clo. *Fare* —3F **27**
Teal Clo. *Hay I* —4D **54**
Teal Clo. *Water* —6A **6**
Teal Wlk. *Gos* —2B **38**
Teapot Row. *S'sea* —5H **51**
Tebourba Dri. *Gos* —4C **48**
Tebourba Ho. *Fare* —3G **25**
Tedder Rd. *Gos* —2D **38**
Teddington Rd. *S'sea* —4G **51**
Ted Kelly Ct. *Ports*
　　　　—2A **50** (3C **4**)
Teglease Grn. *Hav* —2D **20**
Teignmouth Rd. *Gos* —6F **39**
Teignmouth Rd. *Ports* —5C **42**
Telephone Rd. *S'sea* —3E **51**
Telford Rd. *Ports* —2A **42**

Tempest Av. *Water* —2A **20**
Templemere. *Fare* —4D **24**
Temple St. *Ports*
　　　　—1C **50** (1G **5**)
Templeton Clo. *Ports* —2A **42**
Tennyson Cres. *Water* —5F **9**
Tennyson Gdns. *Fare* —1A **26**
Tennyson Rd. *Ports* —5B **42**
Tensing Clo. *Fare* —6A **14**
Terence O'Hara Ct. *S'sea*
　(off Albert Rd.)　—5E **51**
Terminus Ind. Est. *Ports*
　　　　—2C **50** (2G **5**)
Tern Wlk. *Gos* —2B **38**
Tern Wlk. *S'sea* —2H **51**
Testcombe Rd. *Gos* —4C **48**
Testwood Rd. *Hav* —4D **20**
Tewkesbury Av. *Fare* —6E **13**
Tewkesbury Av. *Gos* —6G **39**
Tewkesbury Clo. *Ports* —3H **29**
Thackeray Mall. Fare —2B **26**
　(off Fareham Shop. Cen.)
Thackeray Sq. *Fare* —2B **26**
Thames Dri. *Fare* —5F **13**
Thamesmead Clo. *Gos* —6F **39**
Theatre M. *S'sea* —5D **50**
Theseus Rd. *Lee S* —6F **37**
Thetford Rd. *Gos* —6F **39**
Thicket, The. *Fare* —2F **27**
Thicket, The. *Gos* —4D **38**
Thicket, The. *S'sea*
　　　　—4D **50** (6H **5**)
Thicket, The. *Wid* —1F **31**
Third Av. *Hav* —1G **33**
Third Av. *Ports* —3A **30**
Thirlmere Clo. *Fare* —1F **37**
Thirlmere Ho. *Ports* —2F **29**
Thistledown. *Water* —2B **10**
Thistledowne Gdns. *Ems*
　　　　—3F **35**
Thornbrake Rd. *Gos* —4E **49**
Thornbury Clo. *Fare* —3E **25**
Thornby Ct. *Ports* —1E **43**
Thorncliffe Clo. *Ports* —1B **42**
Thorncroft Rd. *Ports* —2E **51**
Thorney Clo. *Fare* —3F **25**
Thorney Rd. *Ems* —3F **35**
Thornfield Clo. *Water* —3C **6**
Thorngate Ct. *Gos* —2C **48**
Thorngate Way. *Gos* —3F **49**
Thornham La. *Ems* —5F **35**
Thorni Av. *Fare* —6E **13**
Thornton Clo. *Water* —1D **30**
Thornton Rd. *Gos* —5H **39**
Thorrowgood Ho. *Ports*
　　　　—5H **41**
Three Acres. *Water* —4C **8**
Three Tun Clo. *Ports*
　　　　—2A **50** (3C **4**)
Thresher Clo. *Water* —6C **10**
Thrush Wlk. *Water* —4G **9**
Thruxton Rd. *Hav* —4C **20**
Thurbern Rd. *Ports* —3A **42**
Tichborne Gro. *Hav* —4D **20**
Tichborne Way. *Gos* —3D **38**
Tidcombe Grn. *Hav* —2C **20**
Tideway Gdns. *S'sea* —3A **52**
Tidworth Rd. *Hav* —5F **21**
Tiffield Clo. *Ports* —1E **43**
Tilford Rd. *Water* —1H **9**
Tillington Gdns. *Water* —1D **6**
Timberlane. *Water* —5F **19**
Timberley Ho. *Ports* —2H **5**
Timbers, The. *Fare* —2E **25**
Timpson Rd. *Ports* —1E **51**
Timsbury Cres. *Hav* —6E **21**
Tintagel Way. *Port S* —4F **29**
Tintern Clo. *Ports* —2E **29**
Tintern Rd. *Gos* —3C **48**

Tipner Grn.—Warren Av.

Tipner Grn. *Ports* —2G **41**
Tipner La. *Ports* —2F **41**
Tipner Rd. *Ports* —3G **41**
Tiptoe Grn. Hav —3H 21
(off Sopley Ct.)
Tipton Ho. *S'sea* —3C **50** (4G **5**)
Tisted Ct. *Hav* —4H **21**
Titchfield By-Pass. *Titch*
—2B **24**
Titchfield Hill. *Fare* —3C **24**
(in two parts)
Titchfield Industries. *Titch*
—3C **24**
Titchfield La. *Wick* —1E **13**
Titchfield Pk. Rd. *Fare* —6A **12**
Titchfield Rd. *Stub* —3C **24**
Tithe, The. *Water* —4B **8**
Titus Gdns. *Water* —1A **20**
Tiverton Ct. *Fare* —1B **26**
Toby St. *Ports* —1C **50** (1G **5**)
Todhurst Ho. *Ports*
—2D **50** (3H **5**)
Tokar St. *S'sea* —5G **51**
Tokio Rd. *Ports* —4C **42**
Tonbridge St. *S'sea* —5C **50**
Tonnant Clo. *Fare* —3F **37**
Topaz Gro. *Water* —1B **20**
Tor Clo. *Fare* —2E **27**
Tor Clo. *Water* —6H **19**
Torfrida Ct. *S'sea* —4A **52**
Toronto Pl. *Gos* —2D **48**
Toronto Rd. *Ports* —6A **42**
Torquay Av. *Gos* —5G **39**
Torrington Rd. *Ports* —2A **42**
Tortworth Clo. *Fare* —3F **25**
Totland Rd. *Gos* —3C **38**
Totland Rd. *Ports* —4A **30**
Tottenham Rd. *Ports* —1E **51**
Totton Wlk. *Hav* —3D **20**
Tournerbury La. *Hay I* —3C **54**
Tower Clo. *Gos* —4H **47**
(in two parts)
Tower Gdns. *Hav* —5F **33**
Tower Rd. *S'sea* —4F **51**
Tower St. *Ems* —3D **34**
Tower St. *Ports* —4H **49** (6A **4**)
Town Hall Rd. *Hav* —2F **33**
Town Mt. *Ports* —3B **50** (5E **5**)
Town Quay. *Ports*
—3A **50** (5A **4**)
Towpath Mead. *S'sea* —3A **52**
Trafalgar Ct. *Fare* —4H **25**
Trafalgar Ct. S'sea —5D 50
(off Richmond Rd.)
Trafalgar Pl. *Ports* —1E **51**
Trafalgar Sq. *Gos* —2D **48**
Tranmere Rd. *S'sea* —4F **51**
Treadwheel Rd. *Ids* —1G **11**
Tredegar Rd. *S'sea* —4F **51**
Treeside Way. *Water* —6G **9**
Trefoil Clo. *Water* —2H **19**
Tregaron Av. *Ports* —3D **30**
Treloar Rd. *Hav* —1H **55**
Trent Wlk. *Fare* —3G **27**
Trent Way. *Lee S* —2D **46**
Trevis Rd. *S'sea* —3A **52**
Trevor Rd. *S'sea* —4E **51**
Trevose Clo. *Gos* —4C **38**
Triangle La. *Fare* —1A **36**
Tribe Rd. *Gos* —2C **48**
Tricorn, The. *Ports*
—1C **50** (1F **5**)
Trimmer's Ct. *Ports*
—4A **50** (5A **4**)
Trinity Clo. *Gos* —3F **49**
Trinity Gdns. *Fare* —2A **26**
Trinity Grn. *Gos* —3G **49**
Trinity St. *Fare* —1B **26**
Triumph Clo. *Fare* —1F **25**

Triumph Rd. *Fare* —6H **25**
Trojan Way. *Water* —6H **19**
Troon Cres. *Ports* —2E **31**
Trosnant Rd. *Hav* —1E **33**
Truro Ct. *Gos* —1G **47**
Truro Rd. *Ports* —2D **28**
Tudor Av. *Ems* —5C **22**
Tudor Clo. *Fare* —2H **27**
Tudor Clo. *Gos* —5D **38**
Tudor Clo. *Hay I* —5B **54**
Tudor Ct. *Fare* —4A **26**
Tudor Ct. *Ports* —3B **30**
Tudor Ct. *S'sea* —6D **50**
Tudor Cres. *Ports* —5B **30**
Tukes Av. *Gos* —1B **38**
Tulip Gdns. *Hav* —1C **32**
Tunstall Rd. *Ports* —2H **29**
Tunworth Ct. *Hav* —4H **21**
Tupman Ho. *Ports* —6H **41**
Tuppenny La. *Ems* —3G **35**
Turner Av. *Gos* —4D **38**
Turner Rd. *Ports* —6H **41**
Turtle Clo. *Fare* —1D **36**
Turvy King Ct. *Water* —3B **8**
Tuscany Way. *Water* —1B **20**
Tweed Ct. *Hav* —5E **21**
Twittens Way. *Hav* —2F **33**
Twyford Av. *Ports* —2H **41**
(in two parts)
Twyford Dri. *Lee S* —6H **37**
Tyler Ct. *Hav* —4E **21**
Tynedale Clo. *Gos* —5F **39**
Tyrrel Lawn. *Hav* —2D **20**
Tyseley Rd. *S'sea*
—2C **50** (4G **5**)
Tytherley Grn. *Hav* —3H **21**

Ullswater Ho. *Ports* —2F **29**
Underdown Av. *Water* —1F **31**
Unicorn Ga. *Navy* —1B **50**
Unicorn Rd. *Navy*
—1B **50** (1E **5**)
Unicorn Rd. *Lee S* —6F **37**
Union Pl. *Ports* —1D **50**
Union Rd. *Hav* —2E **33**
Union St. *Fare* —2C **26**
Union St. *Ports* —2A **50** (2C **4**)
Uplands Cres. *Fare* —6B **14**
Uplands Rd. *Den* —1A **8**
Uplands Rd. *Dray* —2E **31**
Up. Arundel St. *Ports*
—2C **50** (2G **5**)
Up. Bere Wood. *Water* —3H **19**
Up. Cornaway La. *Fare* —1H **27**
(in two parts)
Up. House Ct. *Wick* —2A **14**
Up. Old St. *Fare* —1D **36**
Up. Piece. *Water* —4C **8**
Up. St Michael's Gro. *Fare*
—3H **25**
Up. Wharf. *Fare* —3C **26**
Upton Clo. *Hav* —2D **20**

Vadne Gdns. *Gos* —1D **48**
Vale Gro. *Gos* —6G **39**
Valentine Clo. *Fare* —6E **13**
Valentine Ct. *Water* —1A **20**
Valerian Av. *Fare* —6B **12**
Vale, The. *S'sea* —5C **50**
Vale, The. *Water* —4C **6**
Valetta Pk. *Ems* —3C **34**
Valiant Gdns. *Ports* —1H **41**
Valley Clo. *Water* —6E **19**
Valley Pk. Dri. *Water* —1D **6**
Valsheba Dri. *Fare* —4D **36**
Vanstone Rd. *Gos* —5D **38**
Varos Clo. *Gos* —1C **48**

Vectis Rd. *Gos* —4A **48**
Vectis Way. *Ports* —4B **30**
Velder Av. *S'sea* —2G **51**
Venerable Rd. *Fare* —6A **26**
Vengeance Rd. *Lee S* —6G **37**
Venice Clo. *Water* —1A **20**
Ventnor Rd. *Gos* —2B **38**
Ventnor Rd. *S'sea* —3E **51**
Ventnor Way. *Fare* —2E **27**
Venture Ind. Pk. *Gos* —2D **38**
Venture Ind. Pk. *Ports* —6C **30**
Venture Sidings. *S'sea* —2F **51**
Verbena Cres. *Water* —3B **10**
Vernon Av. *S'sea* —2G **51**
(in two parts)
Vernon Building. *Ports*
—3A **50** (4B **4**)
Vernon Clo. *Gos* —2C **48**
Vernon Ct. *Ports* —3A **42**
Vernon M. *S'sea* —2G **51**
Vernon Rd. *Gos* —2C **48**
Vernon Rd. *Ports* —3C **42**
Verwood Rd. *Hav* —3H **21**
Veryan. *Fare* —2G **25**
Vian Clo. *Gos* —1C **38**
Vian Rd. *Water* —3F **19**
Vicarage La. *Fare* —2E **37**
Vicarage Ter. *Gos* —5F **39**
Victoria Av. *Hay I* —4B **54**
Victoria Av. *Water* —6D **18**
Victoria Gro. *S'sea* —4D **50**
Victoria Pl. *Gos* —3D **48**
Victoria Rd. *Ems* —2C **34**
Victoria Rd. *Hay I* —3B **44**
Victoria Rd. *Ports* —1H **49**
Victoria Rd. *Water* —2G **19**
Victoria Rd. N. *S'sea* —4D **50**
Victoria Rd. S. *S'sea* —5D **50**
Victoria Sq. *Lee S* —1C **46**
Victoria St. *Gos* —2E **49**
Victoria St. *Ports* —6G **41**
Victor Rd. *Ports* —6B **42**
Victory Av. *Water* —1A **10**
Victory Ct. *Gos* —4D **38**
Victory Ga. *Ports*
—2A **50** (2B **4**)
Victory Grn. *Ports* —3G **41**
Victory Ho. *Port S* —4E **29**
Victory Retail Pk. *Ports*
—6G **41**
Victory Rd. *Fare* —3F **37**
Victory Rd. *Ports*
—2A **50** (3B **4**)
Victory Trad. Est. *Ports*
—3D **42**
Viking Clo. *Fare* —2D **36**
Viking Way. *Water* —2C **6**
Villa Gdns. *Water* —1G **19**
Village Clo. *Fare* —3E **37**
Village Ga. *Titch* —2B **24**
Village Rd. *Gos* —5B **48**
Ville De Paris Rd. *Fare* —6A **26**
Villiers Ct. *S'sea* —5C **50**
Villiers Rd. *S'sea* —5C **50**
(in two parts)
Vimy Ho. *Fare* —3G **25**
Vincent Gro. *Fare* —4A **28**
Vine Coppice. *Water* —5G **19**
Vineside. *Gos* —4D **38**
Violet Av. *Fare* —3D **36**
Virginia Pk. Rd. *Gos* —1B **48**
Vita Rd. *Ports* —2A **42**
Vivash Rd. *Ports* —2E **51**
Vixen Clo. *Fare* —3D **36**

Wade Ct. Rd. *Hav* —3G **33**
Wade La. *Hav* —4G **33**
(in two parts)

Wadham Rd. *Ports* —3H **41**
Wagtail Rd. *Water* —6A **6**
Wagtail Way. *Fare* —3F **27**
Wainscott Rd. *S'sea* —5G **51**
Wainwright Clo. *Ports* —5E **31**
Wait End Rd. *Water* —3G **19**
Wakefield Av. *Fare* —6H **13**
Wakefield Ct. *Water* —6H **19**
Wakefords Way. *Hav* —3G **21**
Wake Lawn. *S'sea* —4A **52**
Walberant Bldgs. *Ports*
—1B **42**
Walberton Av. *Ports* —3C **30**
Walberton Ct. *Ports* —3C **30**
Walburton Way. *Water* —1D **6**
Walden Gdns. *Water* —6B **6**
Walden Rd. *Ports* —3G **41**
Walford Rd. *Ports* —2G **29**
Walker Pl. *Gos* —4D **38**
Walker Rd. *Ports* —3G **41**
Wallace Rd. *Ports* —5B **42**
Wallington Ct. *Fare* —4H **25**
(PO14)
Wallington Ct. *Fare* —6D **14**
(PO16)
Wallington Hill. *Fare* —1C **26**
Wallington Orchard. *Fare*
—6D **14**
Wallington Rd. *Ports* —4B **42**
Wallington Shore Rd. *Fare*
(in two parts) —1C **26**
Wallington Way. *Fare* —1C **26**
Wallisdean Av. *Fare* —3H **25**
Wallisdean Av. *Ports* —6D **42**
Wallis Gdns. *Water* —6G **9**
Wallis Rd. *Water* —6G **9**
Wallrock Wlk. *Ems* —5D **22**
Walmer Rd. *Ports* —2E **51**
Walnut Dri. *Fare* —3D **36**
Walnut Tree Clo. *Hay I* —4B **54**
Walnut Tree Dri. *Ems* —6H **23**
Walpole Rd. *Gos* —3F **49**
Walpole Ter. *Gos* —4D **48**
Walsall Rd. *Ports* —1G **51**
Walsingham Clo. *Ports*
—2H **29**
Waltham Clo. *Fare* —1A **28**
Waltham St. *S'sea*
—3B **50** (4E **5**)
Walton Clo. *Gos* —3C **48**
Walton Clo. *Water* —4G **19**
Walton Ct. *Fare* —5F **13**
Walton Ct. *Ports* —5C **4**
Walton Rd. *Gos* —3C **48**
Walton Rd. *Ports* —5D **30**
Walton Rd. Ind. Est. *Ports*
—5E **31**
Wandesford Pl. *Gos* —4G **39**
Warbler Clo. *Water* —6A **6**
Warblington Av. *Hav* —2H **33**
Warblington Ct. *Ports*
—3A **50** (5C **4**)
Warblington Rd. *Ems* —4C **34**
Warblington St. *Ports*
—3A **50** (5C **4**)
Warbrook Ct. *Hav* —4H **21**
Ward Ct. *Hay I* —4A **54**
Ward Cres. *Ems* —6E **23**
Wardens Clo. *Hay I* —2B **54**
Warders Ct. *Ports* —2D **48**
Ward Ho. *Ports* —1B **50** (1C **4**)
Ward Rd. *S'sea* —6G **51**
Wardroom Rd. *Ports* —5F **41**
Warfield Av. *Water* —2G **19**
Warfield Cres. *Water* —2G **19**
Warnborough Ct. *Hav* —3H **21**
Warnford Clo. *Gos* —3B **48**
Warnford Cres. *Hav* —4D **20**
Warren Av. *S'sea* —2G **51**

Warren Clo. *Hay I* —3G **53**
Warrior Bus. Cen., The. *Ports*
—4G **31**
Warsash Clo. *Hav* —3E **21**
Warsash Gro. *Gos* —3B **38**
Warsash Rd. *Wars & Fare*
—3A **24**
Warspite Clo. *Ports* —1H **41**
Warwick Clo. *Lee S* —3E **47**
Warwick Cres. *S'sea*
—3C **50** (5G **5**)
Warwick Way. *Wick* —1A **14**
Wasdale Clo. *Water* —3C **6**
Washbrook Rd. *Ports* —3H **29**
Washington Rd. *Ems* —2D **34**
Washington Rd. *Ports* —5H **41**
Waterberry Dri. *Water* —6E **9**
Watergate. *Gos* —3G **49**
Waterlock Gdns. *S'sea* —3B **52**
Waterloo Clo. *Water* —4F **9**
Waterloo Rd. *Gos* —6E **49**
Waterloo Rd. *Hav* —1F **33**
Waterloo St. *S'sea*
—3C **50** (4F **5**)
Waterman Ter. S'sea —4E **51**
(off Boulton Rd.)
Watermead Rd. *Ports* —4G **31**
Water's Edge. *Lee S* —3D **46**
Watersedge. *Wick* —1A **14**
Watersedge Gdns. *Ems*
—3D **34**
Waters Edge Rd. *Ports* —3E **29**
Waterside Gdns. *Fare* —1D **26**
Waterside La. *Fare* —5C **28**
Watersmeet. *Fare* —4B **26**
Waters, The. *Fare* —4G **13**
Waterworks Rd. *Ports* —3F **31**
Watts Rd. *Ports* —6H **41**
Wavell Rd. *Gos* —2D **38**
Waveney Clo. *Lee S* —1D **46**
Waverley Gro. *S'sea* —5E **51**
Waverley Path. *Gos* —4A **48**
Waverley Rd. *Dray* —3E **31**
Waverley Rd. *S'sea* —6D **50**
Wayfarer Clo. *S'sea* —2A **52**
Wayfarers. *Gos* —6D **38**
Wayte St. *Ports* —4B **30**
Weavers Grn. *Hav* —6A **22**
Webb Clo. *Hay I* —5C **54**
Webbers Way. *Gos* —5E **49**
Webb La. *Hay I* —5C **54**
Webb Rd. *Fare* —5B **28**
Wedgewood Clo. *Fare* —3E **37**
Wedgwood Way. *Water* —5G **9**
Weevil La. *Gos* —1F **49**
Welch Rd. *Gos* —6G **39**
Welch Rd. *S'sea* —5E **51**
Welchwood Clo. *Water* —1H **9**
Well Copse Clo. *Water* —4C **6**
Weller Ho. *Ports* —6H **41**
Wellesley Clo. *Water* —2G **19**
Wellington Clo. *Horn* —1D **10**
Wellington Ct. *Hav* —1F **33**
Wellington Gro. *Fare* —4A **28**
Wellington St. *S'sea*
—3C **50** (4F **5**)
Wellington Way. *Water* —2G **19**
Well Mdw. *Hav* —3E **21**
Wellow Clo. *Hav* —6D **20**
Wellsworth La. *Row C* —4H **11**
Wembley Gro. *Ports* —5C **30**
Wendover Rd. *Hav* —1E **33**
Wensley Gdns. *Ems* —6D **22**
Wentworth Dri. *Water* —6B **6**
Wesermarsch Rd. *Water*
—3A **10**
Wesley Ct. *Ports* —2E **51**
Wesley Gro. *Ports* —2B **42**
Wessex Gdns. *Fare* —4H **27**

Wessex Ga. Ind. Est. *Water*
—1C **10**
Wessex Rd. *Water* —2C **6**
W. Battery Rd. *Ports* —4F **41**
Westborn Rd. *Fare* —2B **26**
Westbourne Av. *Ems* —1D **34**
Westbourne Cvn. Pk. *Ems*
—5H **23**
Westbourne Clo. *Ems* —1E **35**
Westbourne Ct. *Hav* —1E **33**
Westbourne Rd. *Ems* —6E **23**
Westbourne Rd. *Ports* —5B **42**
Westbrook Cen., The. *Water*
—6B **10**
Westbrooke Clo. *Water* —1B **10**
Westbrook Gro. *Water* —4F **19**
Westbrook Rd. *Fare* —5B **28**
Westbury Clo. *Ports* —2F **29**
Westbury Mall. *Fare* —2B **26**
Westbury Rd. *Fare* —2B **26**
Westbury Sq. *Fare* —2B **26**
Westcliff Clo. *Lee S* —6H **37**
West Ct. *Ports* —6A **42**
West Ct. *S'sea* —4G **51**
Westcroft Rd. *Gos* —2B **48**
W. Downs Clo. *Fare* —5A **14**
Westerham Clo. *Ports* —3A **30**
Western Av. *Ems* —3B **34**
Western Ct. *Fare* —2A **26**
Western Pde. *Ems* —4C **34**
Western Pde. *S'sea* —4B **50**
Western Rd. *Fare* —2B **26**
Western Rd. *Hav* —1E **33**
Western Rd. *Ports* —3G **29**
Western Rd. Ind. Est. *Ports*
—3H **29**
Western Ter. *Ports* —3G **41**
Western Way. *Fare* —2A **26**
Western Way. *Gos* —4A **48**
Westfield Av. *Fare* —3H **25**
Westfield Av. *Hay I* —4B **54**
Westfield Ind. Est. *Gos* —3C **48**
Westfield Ind. Est. *Horn* —6D **6**
Westfield Oaks. *Hay I* —4B **54**
Westfield Rd. *Gos* —2B **48**
Westfield Rd. *S'sea* —4G **51**
Westgate. *Fare* —4E **37**
W. Haye Rd. *Hay I* —6F **55**
Westland Dri. *Water* —5H **19**
Westland Gdns. *Gos* —4C **48**
Westlands Gro. *Fare* —4A **28**
West La. *Hay I* —3A **54**
Westley Gro. *Fare* —3H **25**
West Lodge. *Lee S* —6F **37**
Westmead Clo. *Hay I* —4H **53**
Westminster Pl. *Ports* —6H **41**
Weston Av. *S'sea* —3H **51**
Weston Ct. *Ports* —3H **5**
Westover Rd. *Ports* —5D **42**
West Point. *Lee S* —1C **46**
West Rd. *Ems* —3B **34**
West Rd. *S'wick* —3E **17**
Westside Vw. *Water* —6E **9**
West St. *Ems* —3D **34**
West St. *Fare* —2A **26**
(in two parts)
West St. *Hav* —1D **32**
(in two parts)
West St. *Portc* —3H **27**
(in two parts)
West St. *Ports* —4H **49** (6A **4**)
West St. *S'wick* —3C **16**
West St. *Titch* —3B **24**
Westway. *Titch* —6A **12**
Westways. *Hav* —3H **31**
Westways. *Stub* —3F **37**
Westwood Clo. *Ems* —1E **35**
Westwood Rd. *Ports* —1A **42**
Weyhill Clo. *Fare* —2A **28**

Weyhill Clo. *Hav* —4D **20**
Weymouth Av. *Gos* —5F **39**
Weymouth Rd. *Ports* —4H **41**
Whaddon Chase. *Fare* —3D **36**
Whaddon Ct. *Hav* —3C **20**
Whale Island Way. *Ports*
—4G **41**
Whaley Rd. *Ports* —4F **41**
Wharf Rd. *Ports* —5G **41**
Wheatcroft Rd. *Lee S* —1D **46**
Wheatlands Av. *Hay I* —6G **55**
Wheatlands Cres. *Hay I*
—6G **55**
Wheatley Grn. *Hav* —3C **20**
Wheatsheaf Dri. *Water* —4F **9**
Wheatstone Rd. *S'sea* —4E **51**
Wheeler Clo. *Gos* —1D **48**
Wherwell Ct. *Hav* —4H **21**
Whichers Ga. Clo. *Row C*
—1H **21**
Whichers Ga. Rd. *Row C & Hav*
—1H **21**
Whimbrel Clo. *S'sea* —2B **52**
Whinchat Clo. *Fare* —5E **13**
Whippingham Clo. *Ports*
—3H **29**
Whitcombe Gdns. *Ports*
—1F **51**
Whiteacres Clo. *Gos* —2D **48**
Whitebeam Clo. *Fare* —3G **25**
Whitebeam Clo. *Water* —2C **10**
White Beam Ri. *Clan* —2G **7**
Whitechimney Row. *Ems*
—6F **23**
Whitecliffe Av. *Ports* —6C **42**
Whitecliffe Ct. *Gos* —3H **47**
White Cloud Pk. *S'sea* —4F **51**
White Cloud Pl. *S'sea* —4F **51**
Whitecross Gdns. *Ports*
—2B **42**
Whitedell La. *Fare* —5D **14**
White Dirt La. *Water* —3B **6**
White Hart All. *Ports*
—4A **50** (6B **4**)
White Hart La. *Fare* —4H **27**
Whitehart Rd. *Gos* —3D **48**
White Hart Rd. *Ports*
—4A **50** (6B **4**)
Whitehaven. *Fare* —4H **27**
Whitehaven. *Water* —1D **10**
White Horse La. *Water* —1B **8**
White Ladies Clo. *Hav* —2G **33**
Whiteley La. *Fare* —1A **12**
Whiteley Way. *White* —3A **12**
White Lion Wlk. *Gos* —2F **49**
White Lodge Gdns. *Fare*
—5G **13**
White Oak Wlk. *Hav* —4H **21**
Whites Ct. *Ports* —4H **41**
Whites Pl. *Gos* —2D **48**
White Swan Rd. *Ports*
—2B **50** (3E **5**)
Whitethorn Rd. *Hay I* —4D **54**
White Wings Ho. *Water* —3B **8**
Whitley Clo. *Ems* —4F **23**
Whitley Row. *S'sea* —2A **52**
Whitsbury Rd. *Hav* —4G **21**
Whitstable Rd. *Ports* —3A **30**
Whittington Ct. *Ems* —3D **34**
Whitwell Rd. *S'sea* —6E **51**
Whitworth Clo. *Gos* —3D **48**
Whitworth Rd. *Gos* —3C **48**
Whitworth Rd. *Ports* —5B **42**
Whyke Ct. *Hav* —1E **33**
Wickham Ct. *Gos* —4H **47**
Wickham Cft. *Wick* —2A **14**
Wickham St. *Ports*
—2A **50** (2B **4**)
Wickor Clo. *Ems* —1E **35**

Wickor Way. *Ems* —6E **23**
Wicor Mill La. *Fare* —4H **27**
Wicor Path. *Fare* —5B **28**
(Bayly Av.)
Wicor Path. *Fare* —4G **27**
(Cador Dri.)
Widgeon Clo. *Gos* —6H **39**
Widgeon Ct. *Fare* —3F **27**
Widley Ct. *Fare* —5A **26**
Widley Ct. Dri. *Ports* —4C **30**
Widley Gdns. *Water* —6F **19**
Widley Rd. *Cosh* —3C **30**
Widley Rd. *Ports* —3G **41**
Widley Wlk. *Water* —1B **30**
Wield Clo. *Hav* —5C **20**
Wigan Cres. *Hav* —1B **32**
Wight Vw. *Lee S* —6F **37**
Wigmore Ho. *Ports* —1D **50**
Wilberforce Rd. *Gos* —6E **49**
Wilberforce Rd. *S'sea*
—4C **50** (6F **5**)
Wilby La. *Ports* —1E **43**
Wildmoor Wlk. *Hav* —4H **21**
Wild Ridings. *Fare* —3D **24**
Wilkins Clo. *Water* —1F **7**
Willersley Clo. *Ports* —2G **29**
William Booth Ho. *Ports*
—2B **50** (1D **4**)
William Clo. *Fare* —4F **37**
William George Ct. *Lee S*
—2C **46**
William Price Gdns. *Fare*
—1B **26**
Williams Clo. *Gos* —6D **38**
Williams Rd. *Ports* —2D **42**
Willis Rd. *Gos* —3E **49**
(in two parts)
Willis Rd. *Ports* —2C **50** (2F **5**)
Willow Clo. *Hav* —2G **33**
Willowdene Clo. *Hav* —5B **20**
Willow Pl. *Gos* —2D **48**
Willows, The. *Ports* —3G **41**
Willows, The. *Water* —3A **8**
Willow Tree Av. *Water* —5B **10**
Willowtree Gdns. *Fare* —3G **25**
Willow Wood Rd. *Hay I*
—4C **54**
Wilmcote Gdns. *S'sea* —4H **5**
Wilmcote Ho. *S'sea*
—2D **50** (4H **5**)
Wilmott Clo. *Gos* —2B **48**
Wilmott La. *Gos* —2B **48**
Wilson Gro. *S'sea* —4D **50**
Wilson Rd. *Ports* —3G **41**
Wilton Clo. *Gos* —3B **48**
Wilton Dri. *Water* —2A **10**
Wilton Pl. *S'sea* —5D **50**
Wilton Ter. *S'sea* —5D **50**
Wiltshire St. *S'sea*
—3B **50** (4E **5**)
Wilverley Av. *Hav* —5G **21**
Wimbledon Pk. Rd. *S'sea*
—5D **50**
Wimborne Rd. *S'sea* —3G **51**
Wimpole Ct. *Ports* —1E **51**
Wimpole St. *Ports* —1D **50**
Wincanton Way. *Water* —6B **10**
Winchcombe Rd. *Ports* —2F **29**
Winchester Ct. *Gos* —2H **47**
Winchester Ho. *Hav* —4G **21**
Winchester Rd. *Ports* —5A **42**
Winchfield Cres. *Hav* —5B **20**
Winchfield Ho. *Gos* —3G **49**
Windermere Av. *Fare* —1F **37**
Windermere Ho. *Ports* —3F **29**
Windermere Rd. *Ports* —2B **42**
Windmill Clo. *Water* —1G **7**
Windmill Fld. *Water* —3C **8**
Windmill Gro. *Fare* —5H **27**